French-*Englis*
DICTIONARY

Illustrated by
Rachael O'Neill

Translated by
Jean-Luc Barbanneau

zigzag

Sommaire
Contents

This book was created and produced by
Zigzag Publishing Ltd, The Barn,
Randolph's Farm, Brighton Road,
Hurstpierpoint, West Sussex BN6 9EL

Editor: Helen Burnford
Managing Editor: Nicola Wright
Production: Zoë Fawcett and Simon Eaton
Series Concept: Tony Potter

Colour separations by RCS Graphics Ltd, Leeds.
Printed by Print Centrum, Czech Republic.

First published in 1995 by Zigzag Publishing Ltd

ISBN HB 1 85993 061 1
ISBN PB 1 85993 013 1

About this book

This illustrated dictionary is just right for you if you are starting to learn French.

You will find lots of clearly labelled thematic pictures. Match up the small drawings around the main pictures to help you learn when to use each French word.

The picture index at the back of this book will help you translate a word, whether you know the French or the English.

Masculine and feminine words

In French, some words are masculine and some are feminine. There are different words for 'the':

le lapin (masculine singular)
the rabbit
la maison (feminine singular)
the house

When the word begins with a vowel, (a, e, i, o, u) you use **l'**
eg. **l'orange**

All plural words have the same word for 'the':

les lapins (masculine plural)
les maisons (feminine plural)

Accents

é à î ç

French vowels often have marks called accents above them, such as **é**, **à** or **î**. Vowels with accents are pronounced differently from vowels without accents. When you see the letter 'c' with an accent underneath it, for example, **le maçon** the 'c' is pronounced like the 's' in 'sock'.

Les vêtements
Your clothes

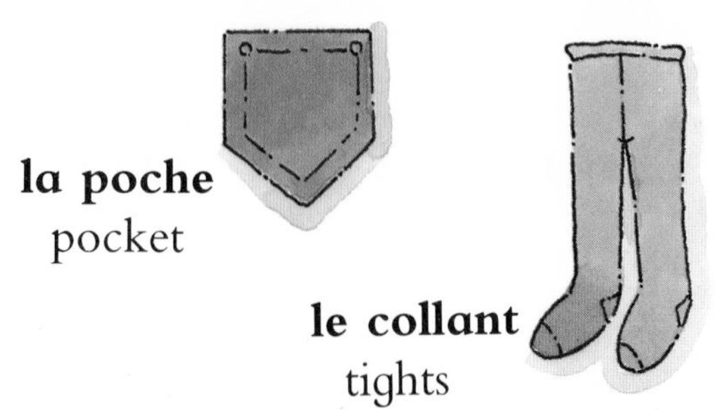

la poche
pocket

le collant
tights

le T-shirt
T-shirt

le sweat-shirt
sweatshirt

le col
collar

la chemise
shirt

l'anorak (m)
anorak

la manchette
cuff

le cache-oreilles
ear muffs

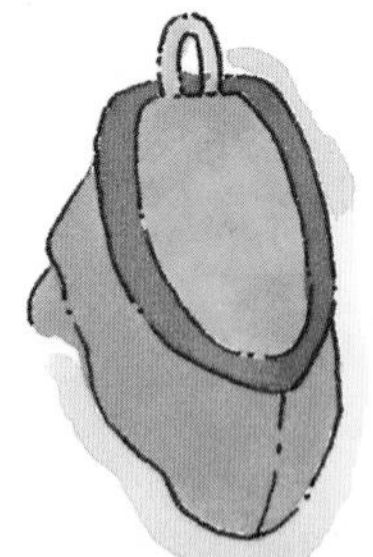

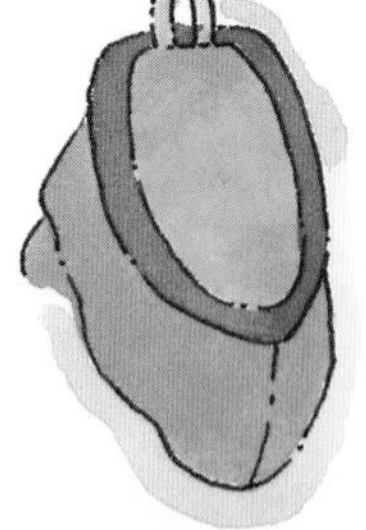

le capuchon
hood

les bretelles (f)
braces

les tennis (f)
trainers

le lacet
lace

la manche
sleeve

le maillot de corps
vest

la chaussure
shoe

la moufle
mitten

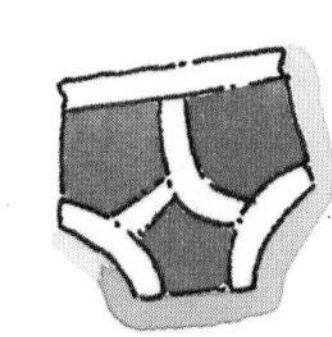

le slip
pants

le gant
glove

la robe de chambre
dressing gown

le cordon
cord

la robe-chasuble
pinafore dress

le nœud
bow

le ruban
ribbon

la boutonnière
buttonhole

le bouton
button

le gilet
cardigan

la fermeture Éclair
zip

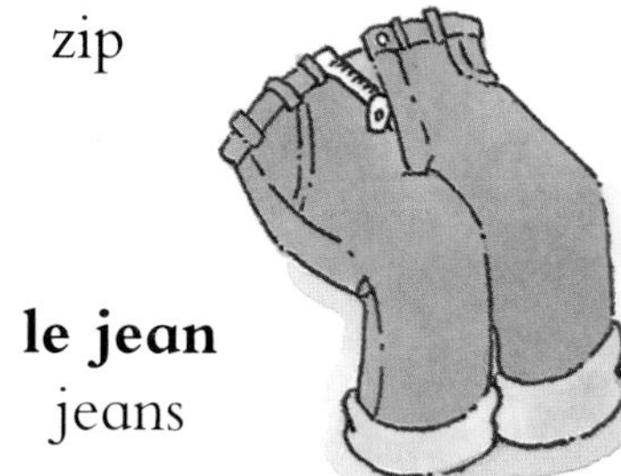

le jean
jeans

l'écharpe (f)
scarf

la chaussette
sock

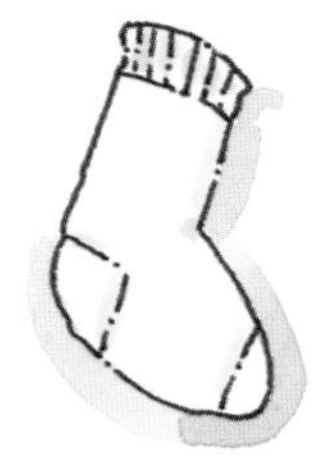

la culotte
knickers

la sandale
sandal

la salopette
dungarees

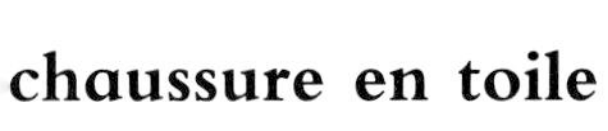

chaussure en toile
plimsoll

la robe
dress

la jupe
skirt

la boucle
buckle

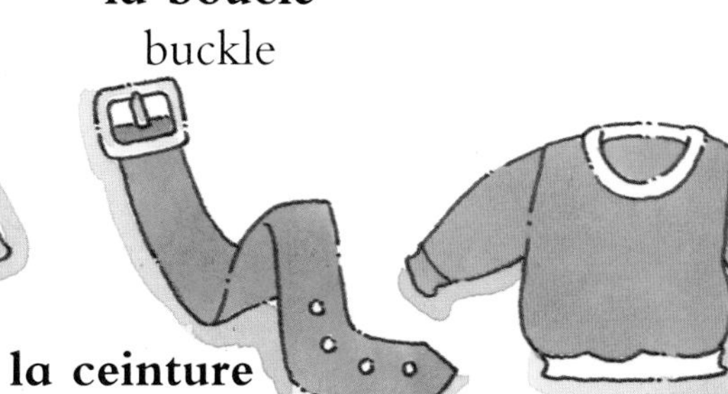

la ceinture
belt

le pull
jumper

Dans la chambre
In the bedroom

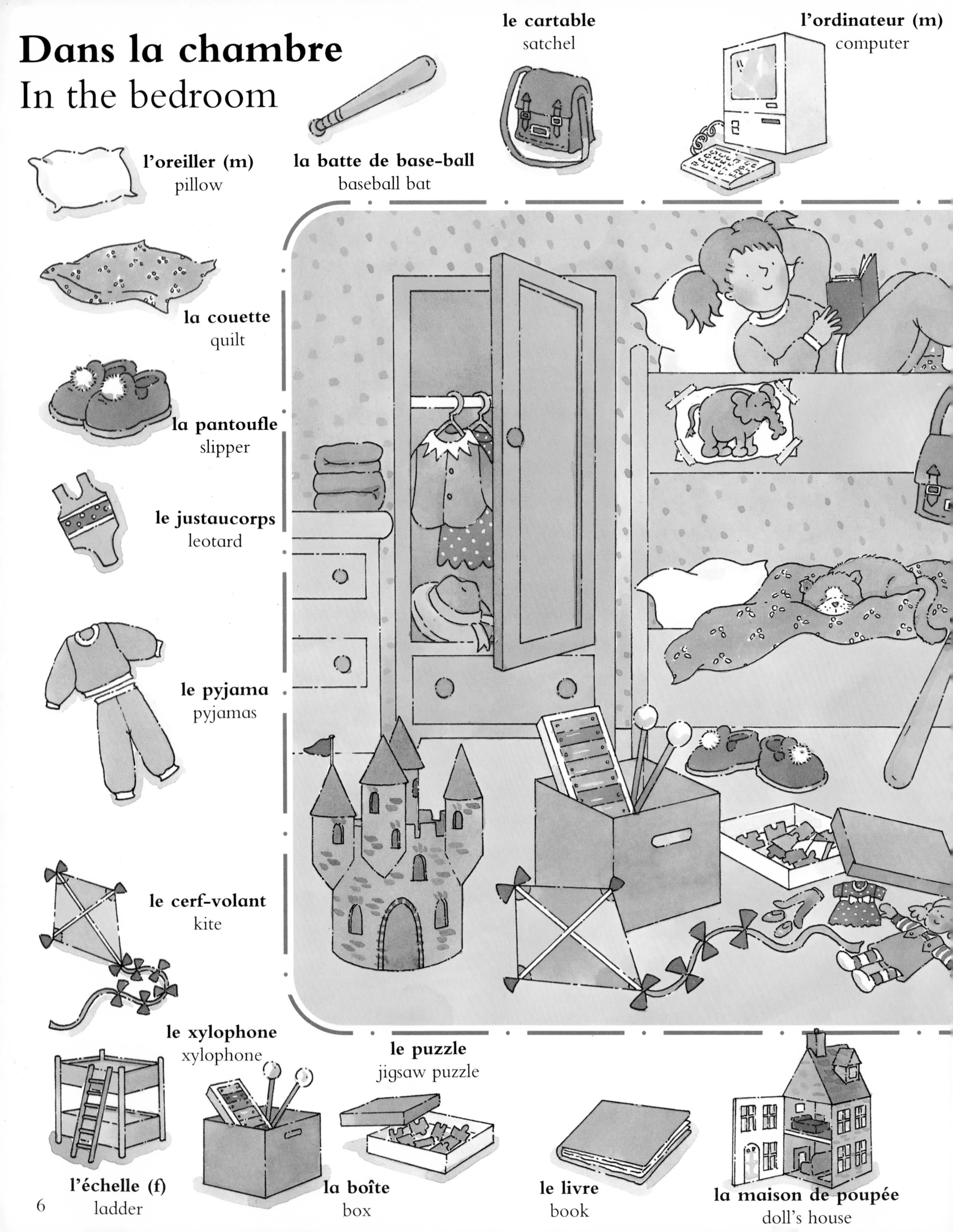

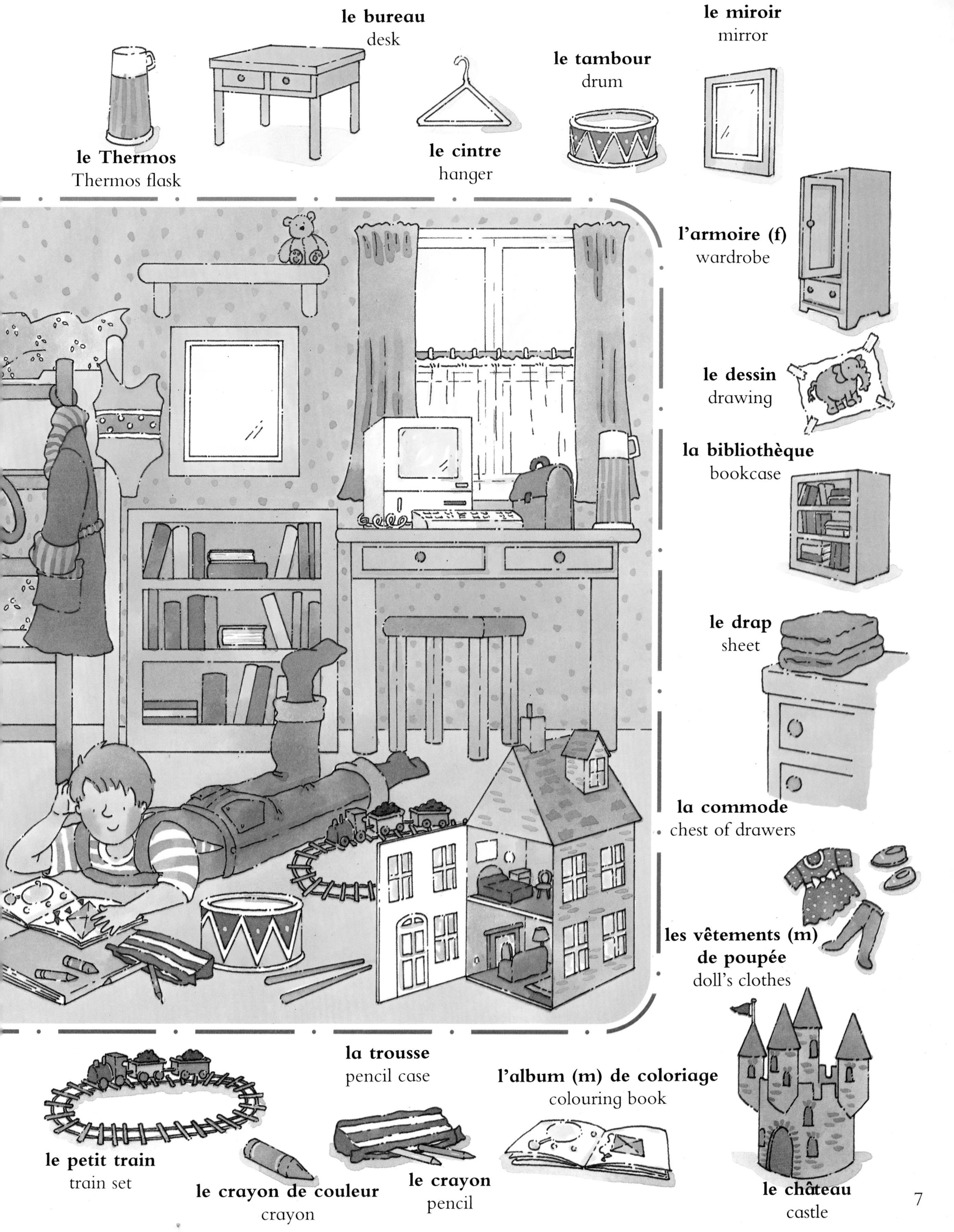
le Thermos
Thermos flask
le bureau
desk
le cintre
hanger
le tambour
drum
le miroir
mirror
l'armoire (f)
wardrobe
le dessin
drawing
la bibliothèque
bookcase
le drap
sheet
la commode
chest of drawers
les vêtements (m) de poupée
doll's clothes
le petit train
train set
le crayon de couleur
crayon
la trousse
pencil case
le crayon
pencil
l'album (m) de coloriage
colouring book
le château
castle

Dans la salle de bain
In the bathroom

le pèse-personne
bathroom scales

le rideau de douche
shower curtain

la douche
shower

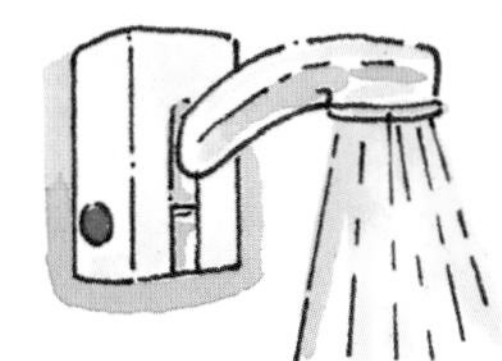

le savon
soap

le bonnet de douche
shower cap

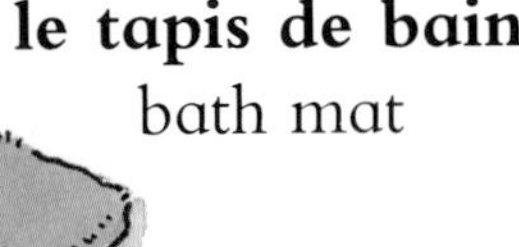

le tapis de bain
bath mat

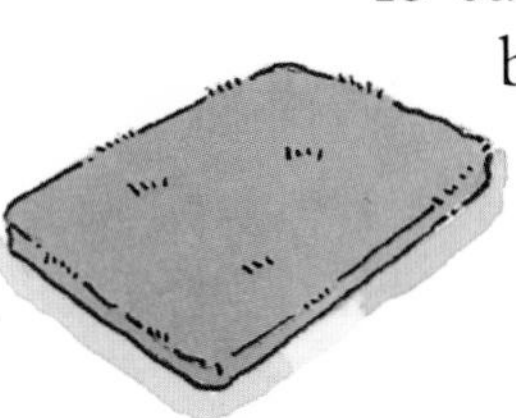

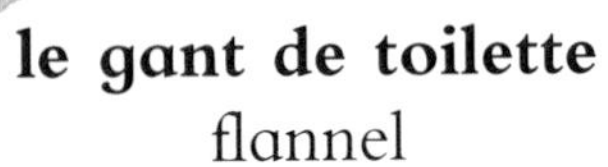

le gant de toilette
flannel

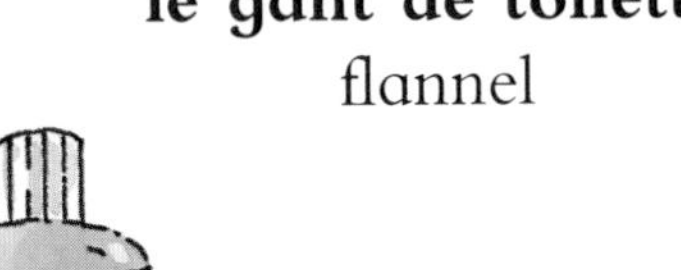

le shampooing
shampoo

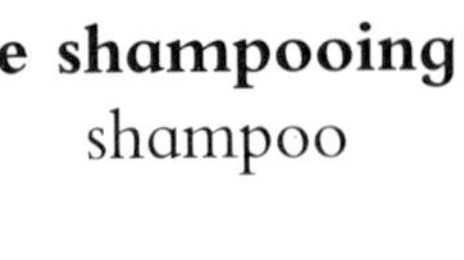

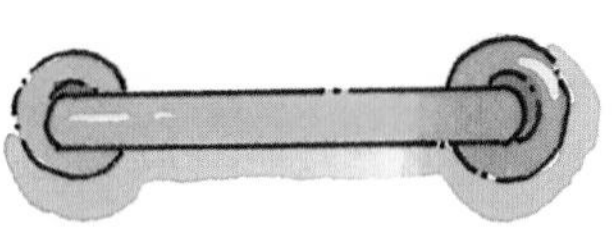

le porte-serviette
towel rail

le panier à linge
laundry basket

la baignoire
bath

le carrelage
floor tile

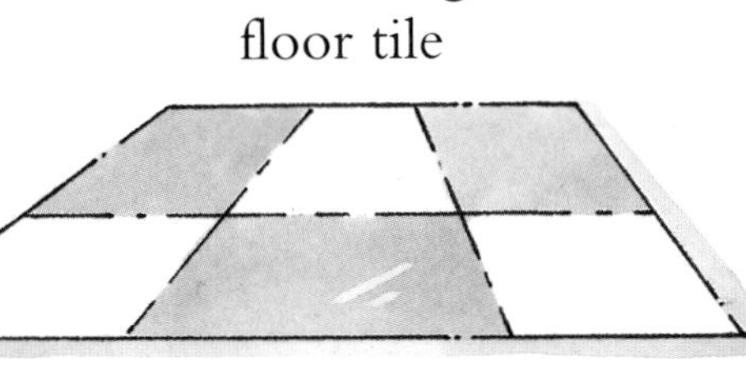

l'éponge (f)
sponge

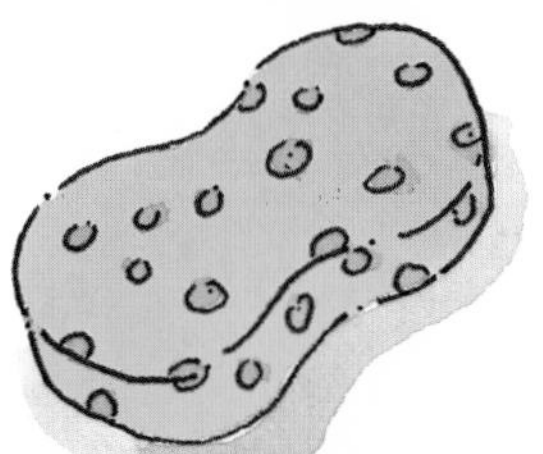

le papier hygiénique
toilet paper

la lunette
toilet seat

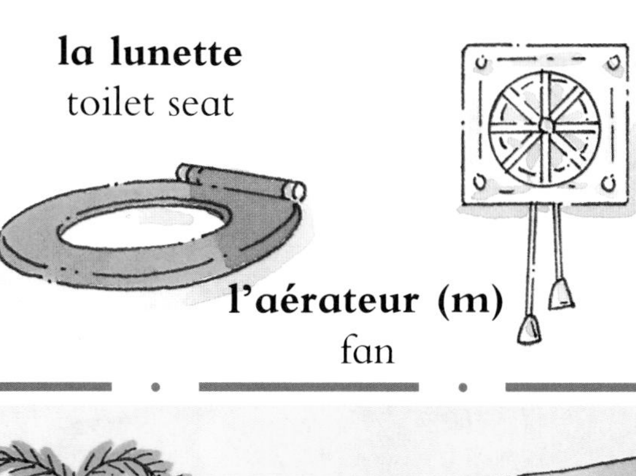

l'aérateur (m)
fan

le coton
cotton wool

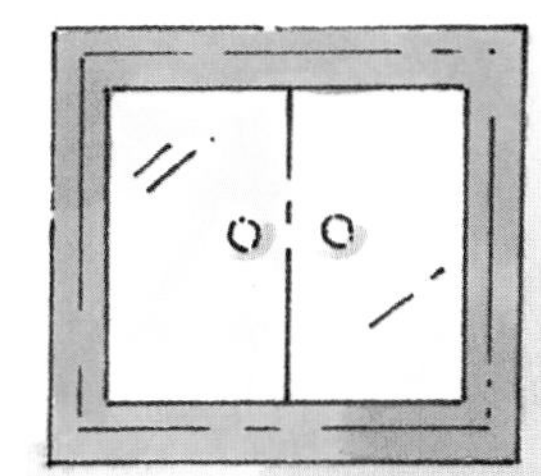

l'armoire (f) à pharmacie
cabinet

le dentifrice
toothpaste

la brosse à dents
toothbrush

le gobelet
beaker

le robinet
tap

le miroir
mirror

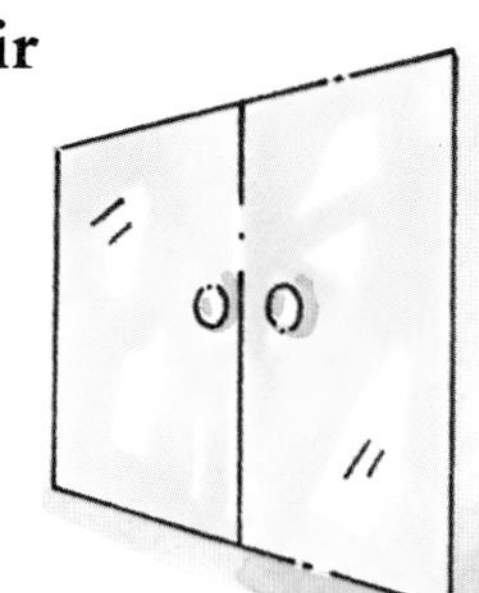

le porte-savon
soap dish

la serviette de bain
bath towel

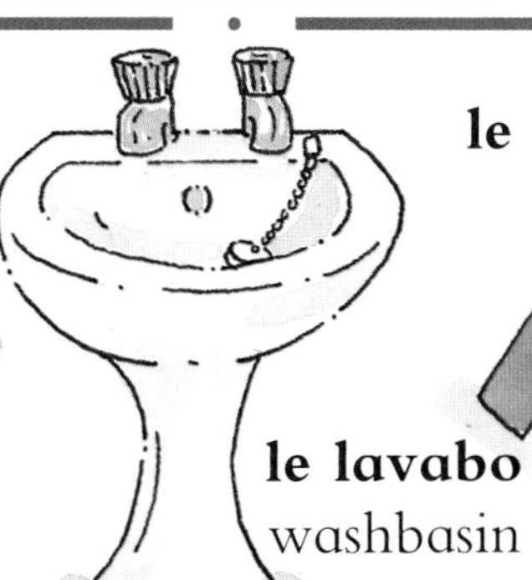

le lavabo
washbasin

le marchepied
stool

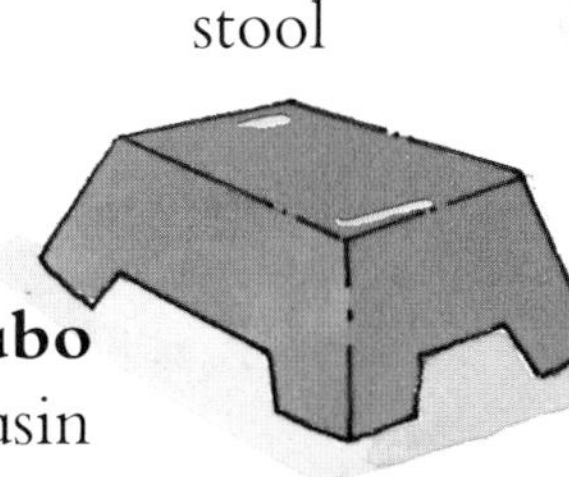

la brosse à ongles
nailbrush

les toilettes (f)
toilet

Dans la cuisine
In the kitchen

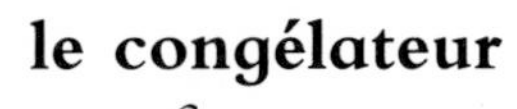

le congélateur
freezer

le réfrigérateur
fridge

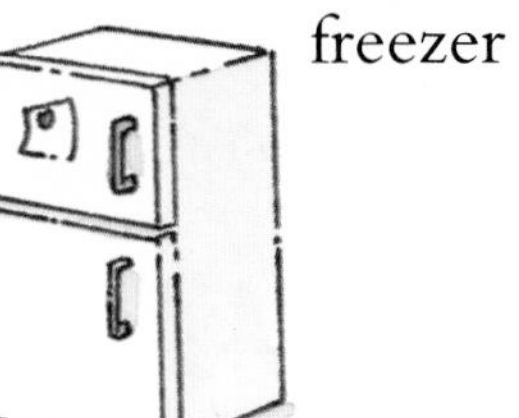

la machine à laver
washing machine

la bonde
plug

l'assiette (f)
plate

la cuisinière
cooker

le four
oven

la cuillère
spoon

la lumière
light

la fourchette
fork

le couteau
knife

la table
table

le saladier
bowl

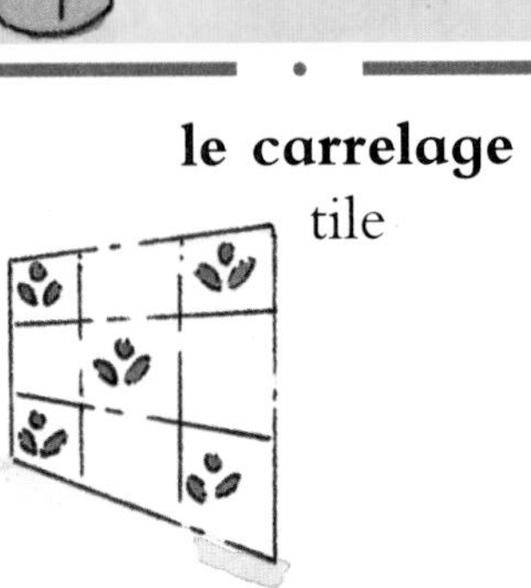

le carrelage
tile

le robinet
tap
l'évier (m)
sink
l'égouttoir (m)
draining board
le grille-pain
toaster
la tasse
cup
la poubelle
rubbish bin
l'horloge (f)
clock
la poêle
frying pan
le pichet
jug
le placard
cupboard
le plan de travail
worktop
le store
blind
la fenêtre
window
le tabouret
stool
la boîte à biscuits
biscuit tin
le tiroir
drawer

Dans la salle de séjour
In the living room

la peinture
painting

l'antenne (f)
aerial

le magazine
magazine

la tringle à rideau
curtain pole

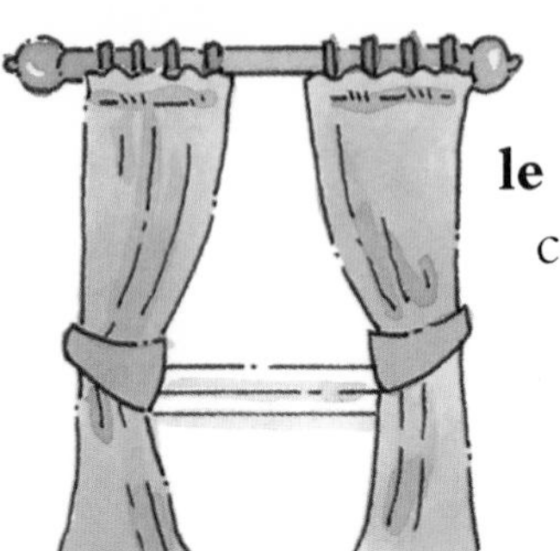

le rideau
curtain

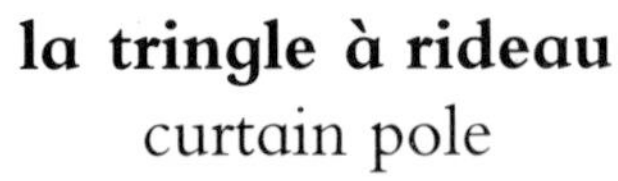

le rebord de fenêtre
windowsill

la photographie
photograph

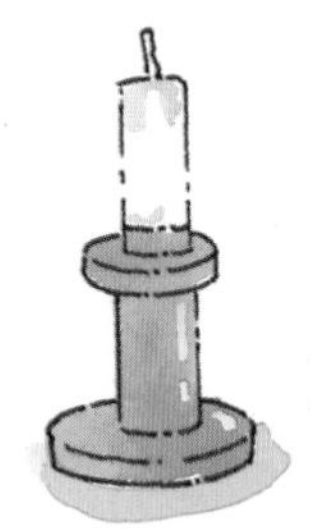

le bougeoir
candlestick

la guitare
guitar

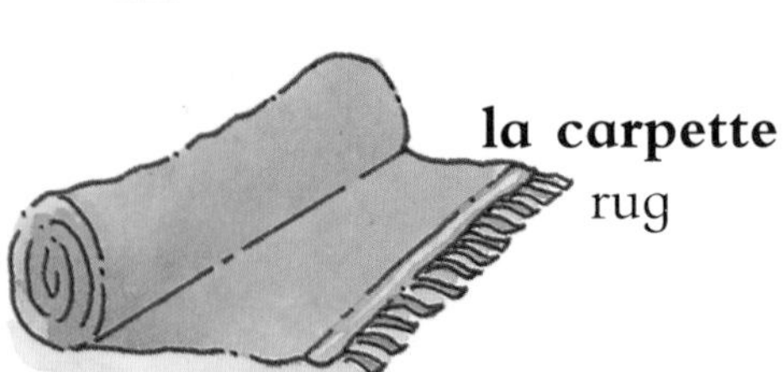

la carpette
rug

la bande dessinée
comic

le feu
fire

le garde-feu
fire guard

le fauteuil
armchair

le magnétoscope
video recorder

la télévision
television

la radio
radio

le radiateur
radiator

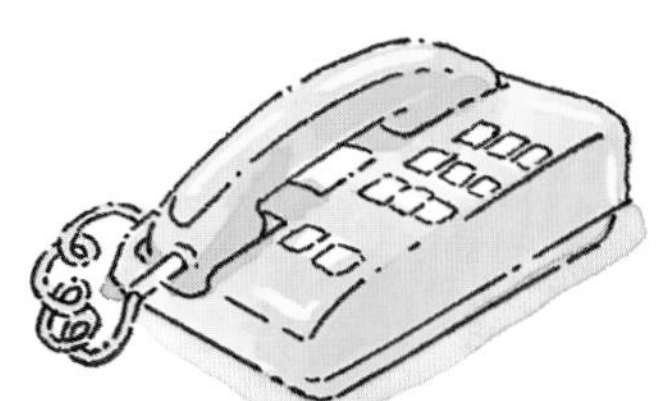

le téléphone
telephone

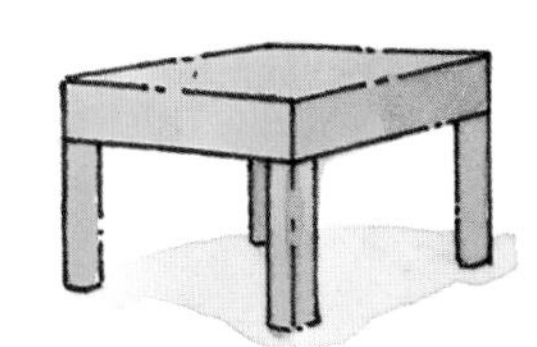

la table basse
coffee table

le vase
vase

le haut-parleur
loudspeaker

le tourne-disque
record player

le magnétophone
tape recorder

le lecteur laser
compact disc player

la télécommande
remote control

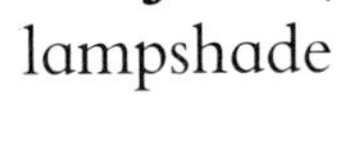

l'abat-jour (m)
lampshade

la lampe
lamp

le dessus de cheminée
mantlepiece

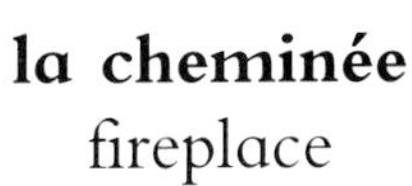

la cheminée
fireplace

le canapé
settee

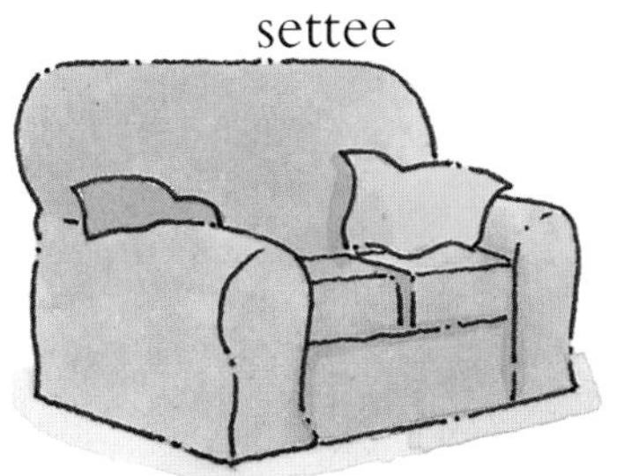

le tapis
carpet

le journal
newspaper

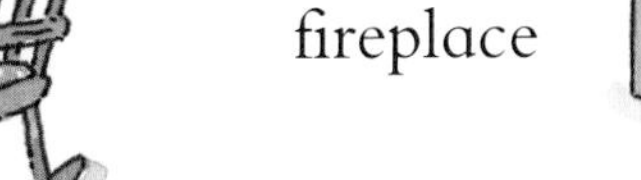

le fauteuil à bascule
rocking chair

La nourriture
Food

les spaghettis (m)
spaghetti

le poivre
pepper

le sel
salt

l'épice (f
spice

l'huile (f)
oil

la viande hachée
mince

le fromage
cheese

la soupe
soup

le sucre
sugar

le raisin
grape

la poire
pear

les frites (f)
chips

le hamburger
hamburger

l'œuf (m)
egg

le café
coffee

la confiture
jam

le miel
honey

les chips (f)
crisps

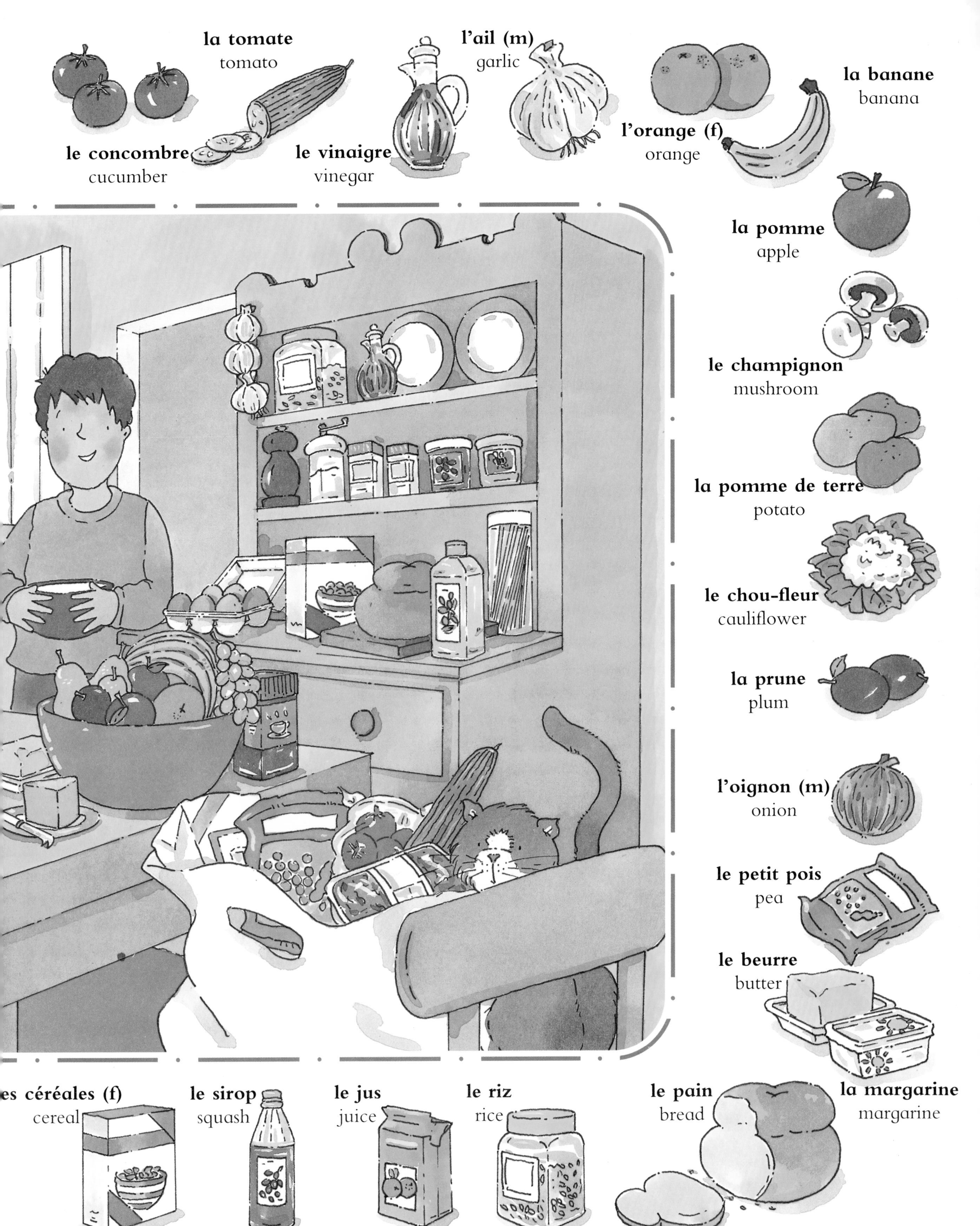
la tomate
tomato
l'ail (m)
garlic
la banane
banana
le concombre
cucumber
le vinaigre
vinegar
l'orange (f)
orange
la pomme
apple
le champignon
mushroom
la pomme de terre
potato
le chou-fleur
cauliflower
la prune
plum
l'oignon (m)
onion
le petit pois
pea
le beurre
butter
es céréales (f)
cereal
le sirop
squash
le jus
juice
le riz
rice
le pain
bread
la margarine
margarine

Les animaux familiers
Pets

l'os (m)
bone

la litière
bedding

le bec
beak

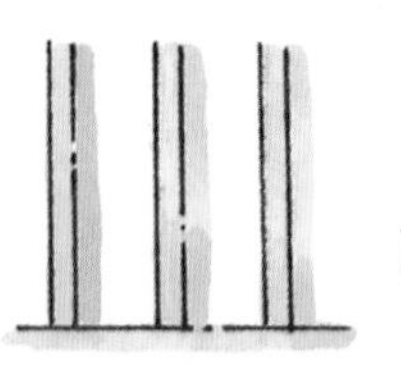

le barreau
bar

la cage du hamster
hamster house

le hamster
hamster

les algues (f)
seaweed

le grillage
wire netting

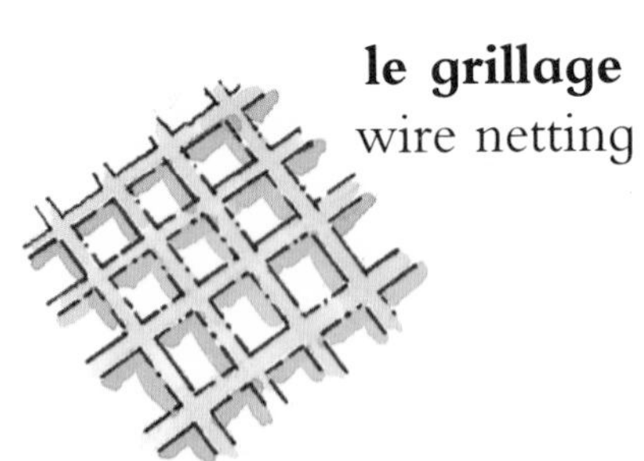

la gamelle
food bowl

la queue
tail

le chiot
puppy

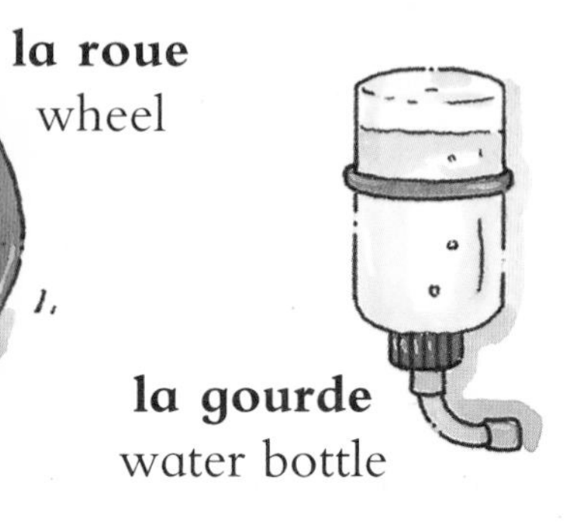

la roue
wheel

la gourde
water bottle

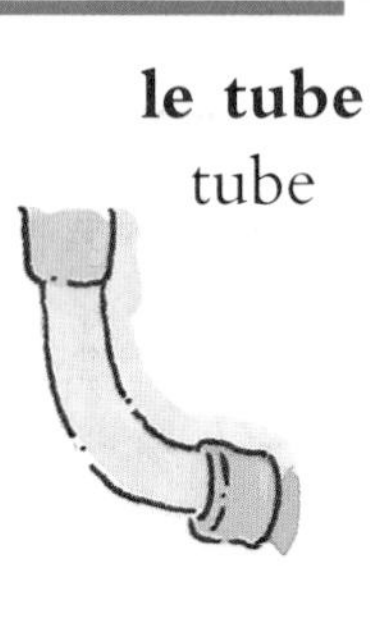

le tube
tube

la nourriture pour chiens et chats
pet food
le cochon d'Inde
guinea pig
le lapin
rabbit
le clapier
hutch
la cage
cage
la gerbille
gerbil
le nichoir
nesting box
le chaton
kitten
la fourrure
fur
la tortue
tortoise
l'aile (f)
wing
la patte
paw
le perroquet
parrot
la griffe
claw
la perruche
budgerigar

Le jeu
Play

les patins (m) à roulettes
roller skates

le parachute
parachute

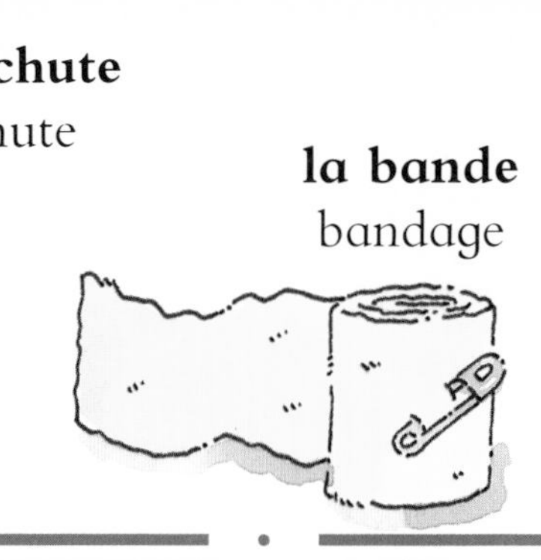

la bande
bandage

le vaisseau spatial
spacecraft

le skate-board
skateboard

la tenue de cow-boy
cowboy outfit

la corde à sauter
skipping rope

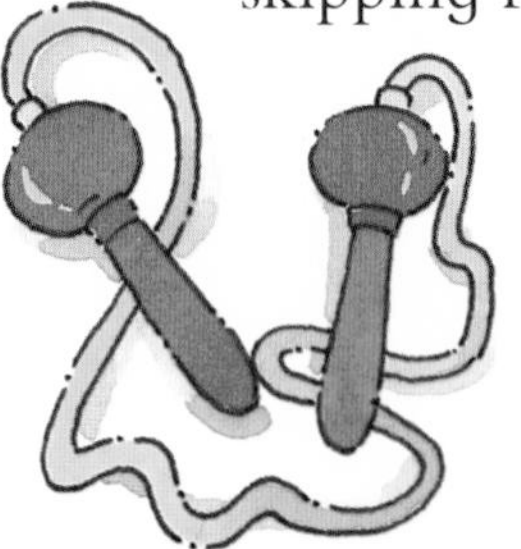

le ballon de football
football

l'arche (f) de Noé
Noah's ark

le gobelet
beaker

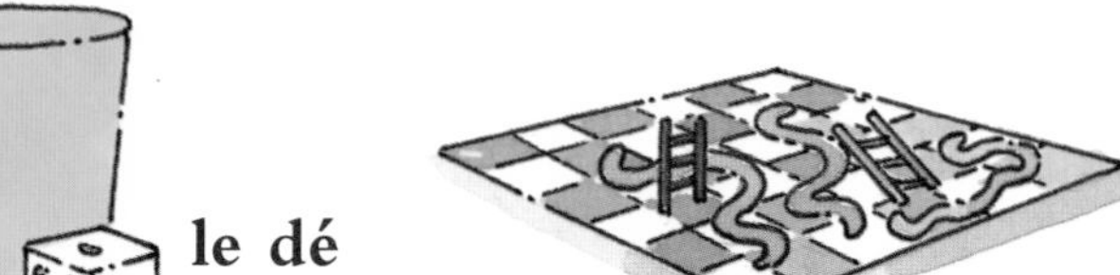

le dé
dice

le jeu de société
board game

la bille
marble

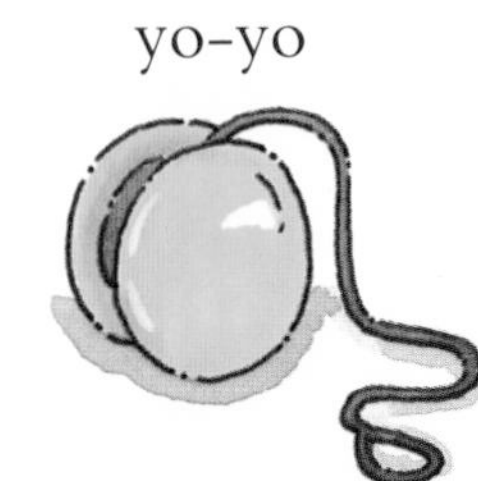

le yo-yo
yo-yo

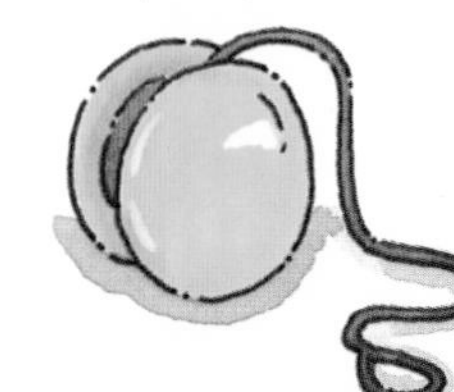

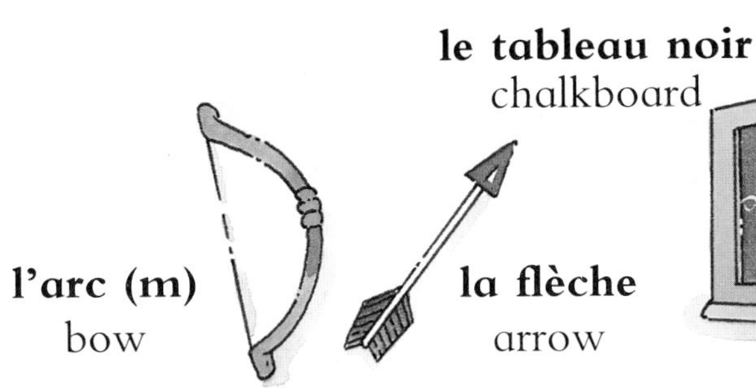

l'arc (m)
bow

la flèche
arrow

le tableau noir
chalkboard

la craie
chalk

le Légo
Lego

la cible
target

la pâte à modeler
Plasticine

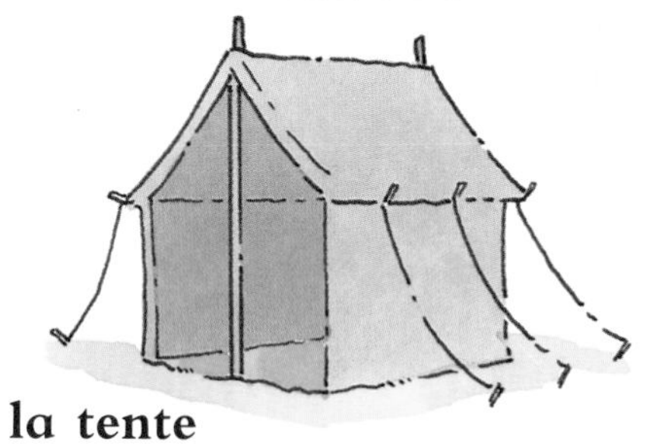

la tente
tent

la marionnette à gaine
glove puppet

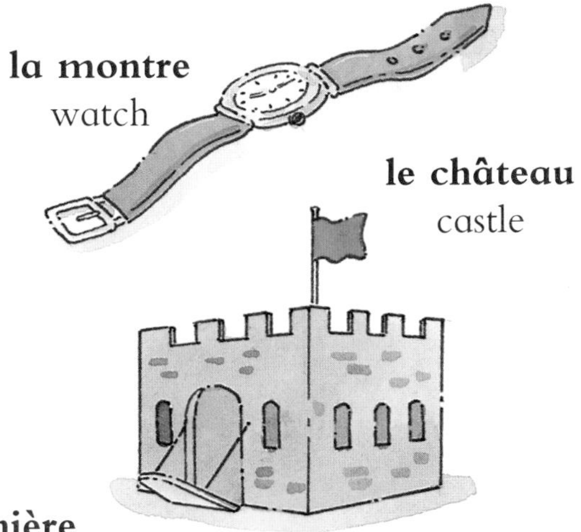

la montre
watch

le château
castle

la ferme miniature
toy farm

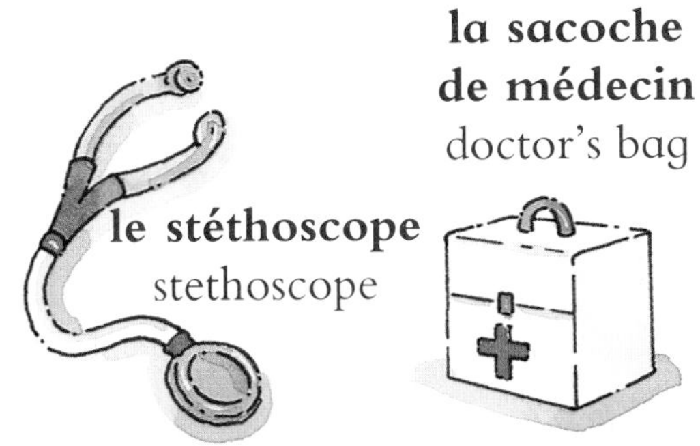

le stéthoscope
stethoscope

la sacoche de médecin
doctor's bag

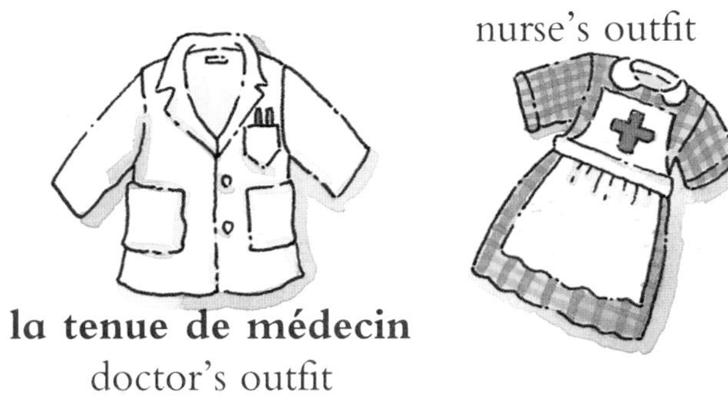

la tenue de médecin
doctor's outfit

la tenue d'infirmière
nurse's outfit

Dans le jardin
In the garden

le tuyau d'arrosage
hose

le tricycle
tricycle

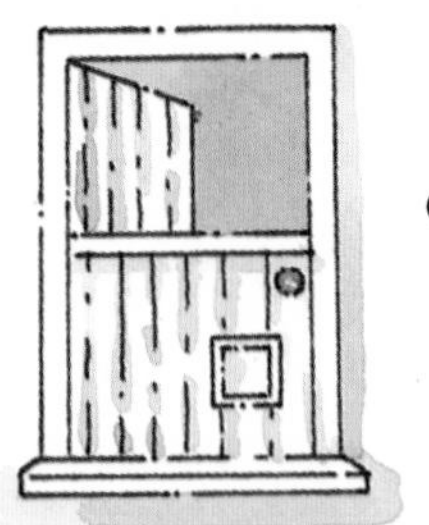

la porte de derrière
back door

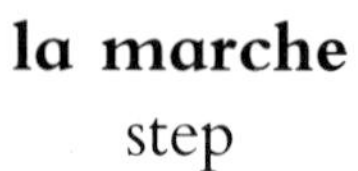

la marche
step

la chatière
cat flap

la plate-bande
flower bed

la bordure
border

la pelouse
lawn

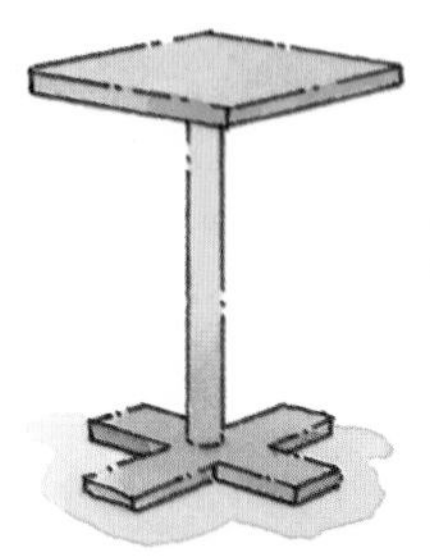

la mangeoire
bird table

la cacahuète
peanut

la noix de coco
coconut

la souche d'arbre
tree stump

le pissenlit
dandelion

le mur
wall

le balai
broom

la fourche
garden fork

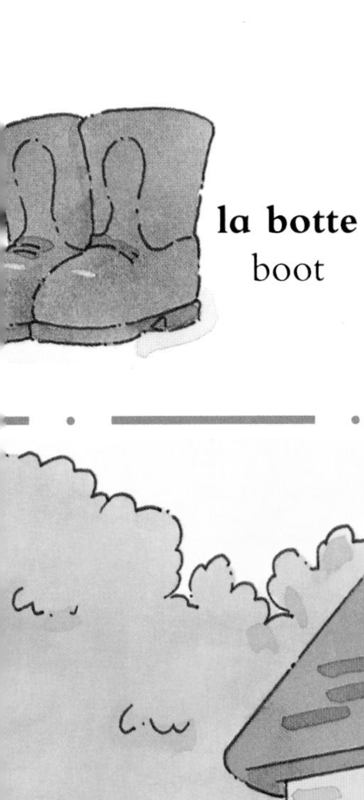

la botte
boot

la mauvaise herbe
weed

la famille
family

la chute d'eau
waterfall

le jardin de rocaille
rock garden

le nénuphar
waterlily

le jardin sauvage
wild garden

les oiseaux (m) du jardin
garden birds

la cabane
shed

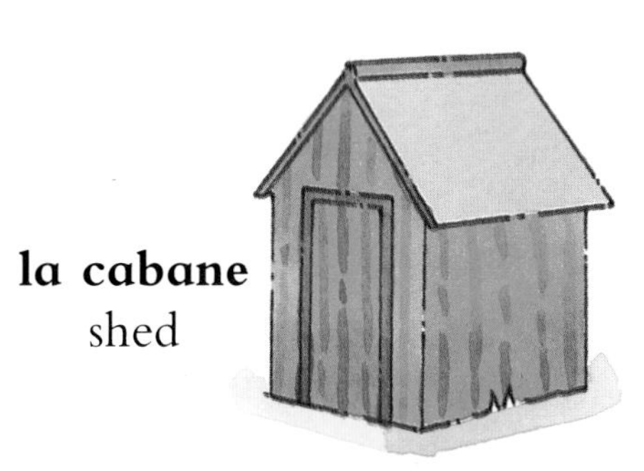

l'arbuste (m)
shrub

l'allée (f)
terrace

la tondeuse
lawnmower

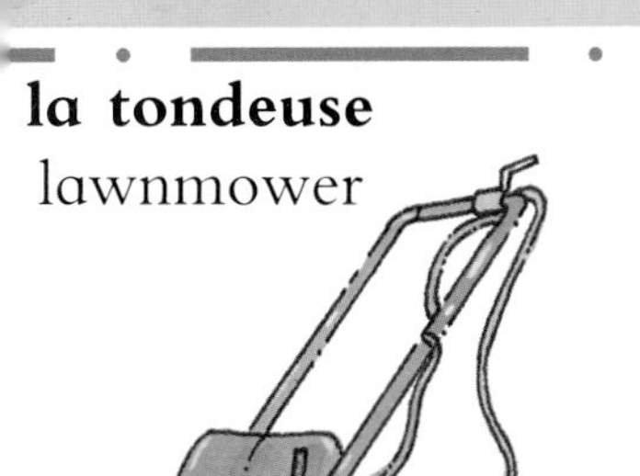

le râteau
rake

le déplantoir
trowel

la pelle
spade

le pot de fleurs
flowerpot

la jardinière
window box

À l'école
At school

la feuille
leaf

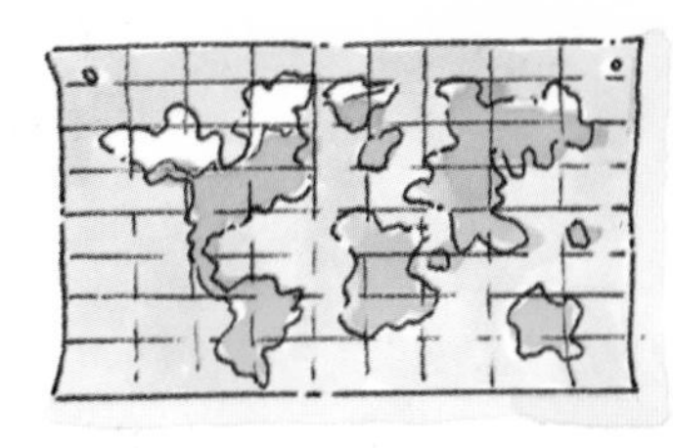

la carte
map

le lecteur
la lectrice
reader

l'ordinateur (m)
computer

le porte-manteau
peg

le manteau
coat

le coin nature
nature table

le coffre à jouets
toy box

la corbeille à papier
wastepaper bin

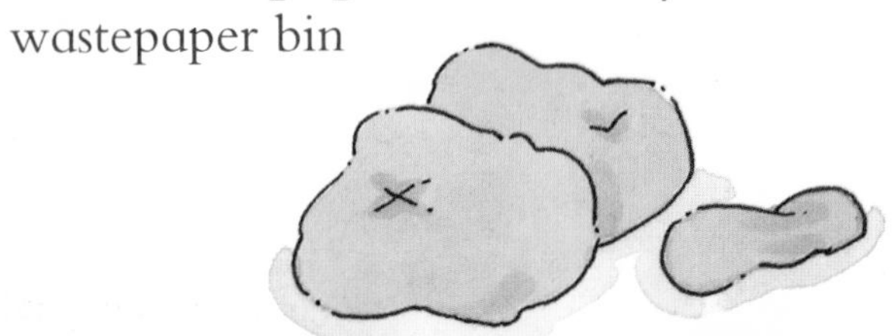

l'argile (f)
clay

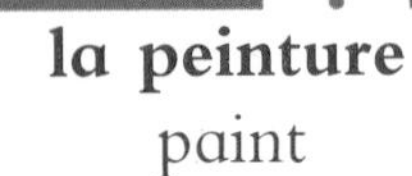

la peinture
paint

le pinceau
paintbrush

la punaise
drawing pin
la gomme
rubber
les ciseaux (m)
scissors
le fossile
fossil
le panneau d'affichage
pinboard
l'instituteur (m)
l'institutrice (f)
teacher
la brosse à colle
paste brush
la règle
ruler
la colle
paste
le support visuel
flashcard
la bibliothèque
library
l'alphabet (m)
alphabet
le jeu
de construction
building block
le diagramme
chart
la maquette
cardboard model
les chiffres (m)
numbers

Au parc
In the park

le court de tennis
tennis court

le café
café

le landau
pram

la pente
slope

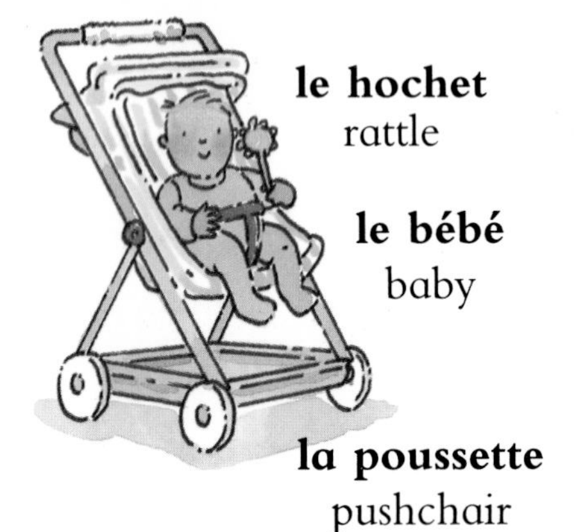

le hochet
rattle

le bébé
baby

la poussette
pushchair

le manège
roundabout

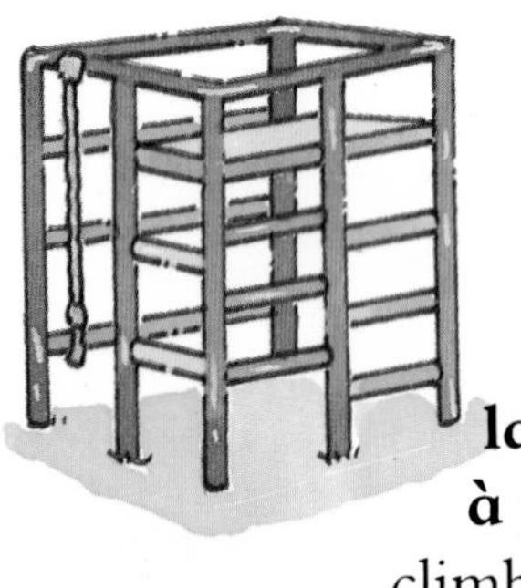

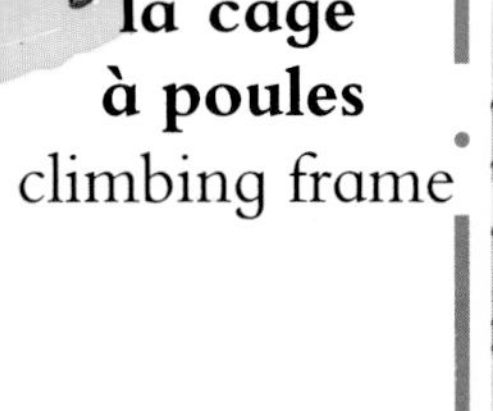

la cage à poules
climbing frame

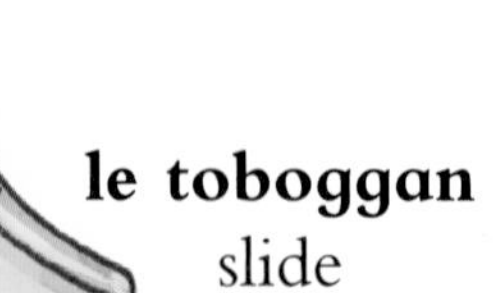

le toboggan
slide

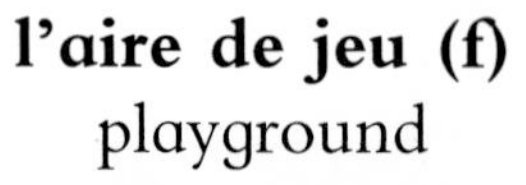

l'aire de jeu (f)
playground

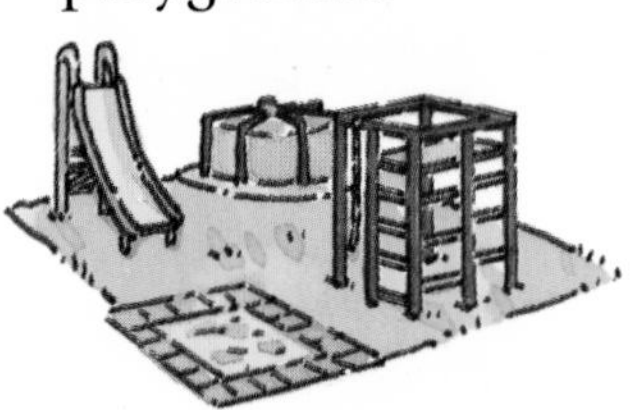

la balle de tennis
tennis ball

la balançoire
seesaw

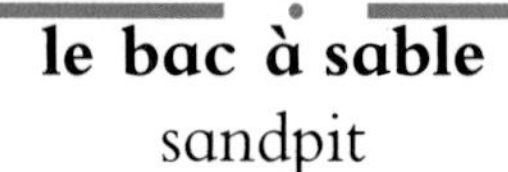

le bac à sable
sandpit

la laisse
lead

le pigeon
pigeon

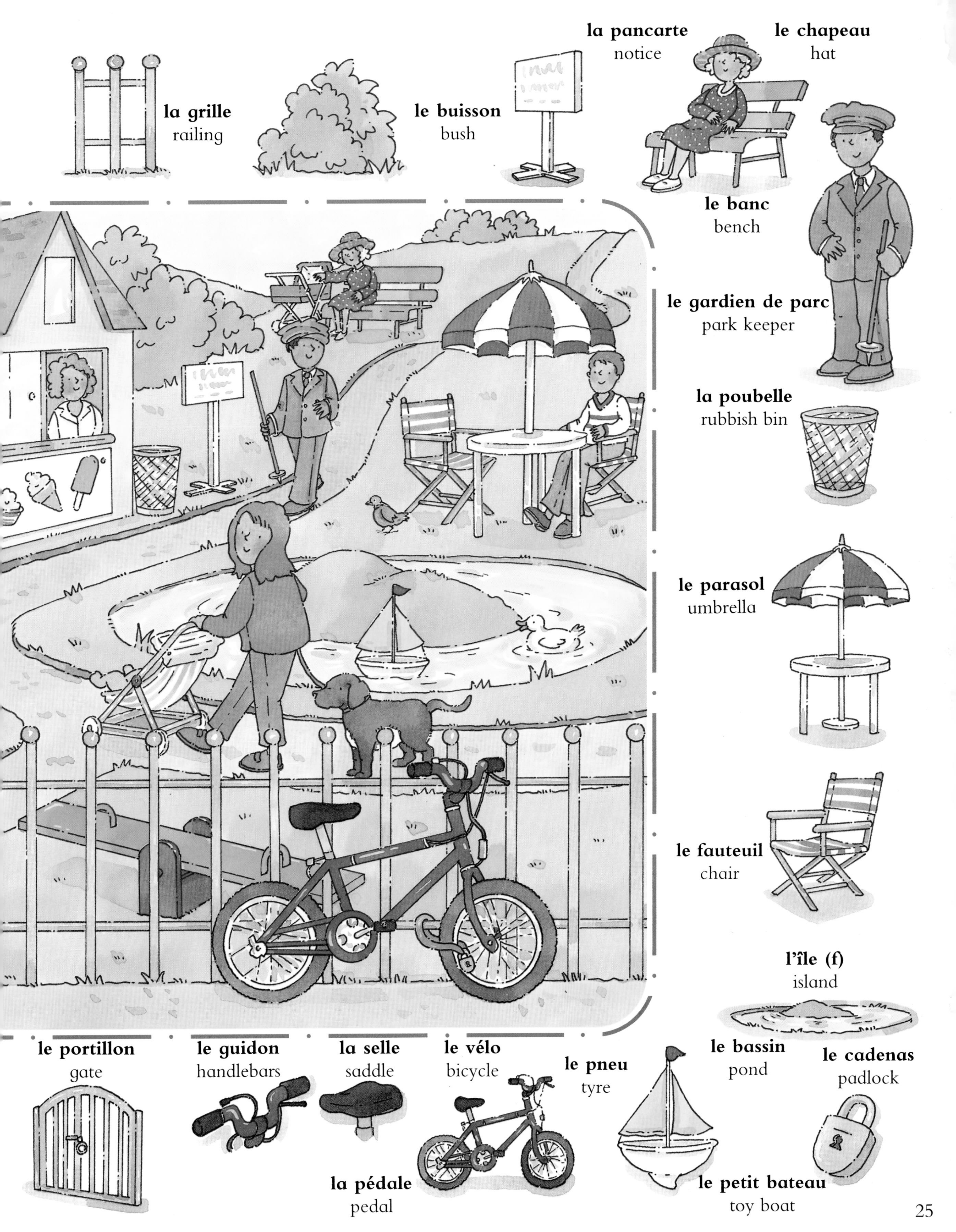

la grille
railing
le buisson
bush
la pancarte
notice
le chapeau
hat
le banc
bench
le gardien de parc
park keeper
la poubelle
rubbish bin
le parasol
umbrella
le fauteuil
chair
l'île (f)
island
le portillon
gate
le guidon
handlebars
la selle
saddle
le vélo
bicycle
le pneu
tyre
le bassin
pond
le cadenas
padlock
la pédale
pedal
le petit bateau
toy boat

Le chantier
On the building site

le goudron
tarmac

l'échafaudage (m)
scaffolding

le camion-benne
tipper truck

la tour
tower block

la pelleteuse
digger

le rouleau
steamroller

le compresseur
compressor

le chargeur
loader

le maçon
bricklayer

la brique
brick

le dumper
dumper truck

la brouette
wheelbarrow

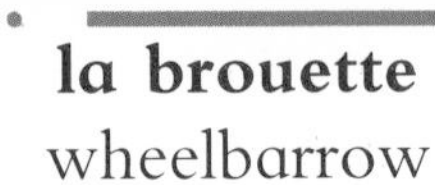

la roue
wheel

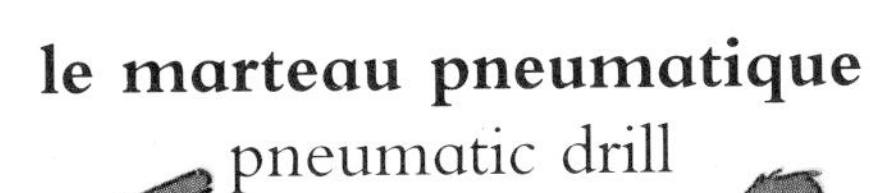

le marteau pneumatique
pneumatic drill

le charpentier
carpenter

le camion malaxeur
concrete mixer

la grue
crane

le casque de sécurité
safety hat

la combinaison
overalls

le maçon
builder

la benne
skip

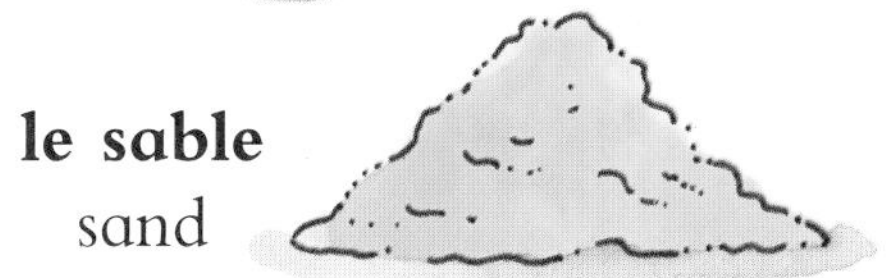

le sable
sand

le toit
roof

le pare-brise
windscreen

le volant
steering wheel

le bulldozer
bulldozer

la bétonnière
cement mixer

la voiture de pompiers
fire engine

la semi-remorque
articulated lorry

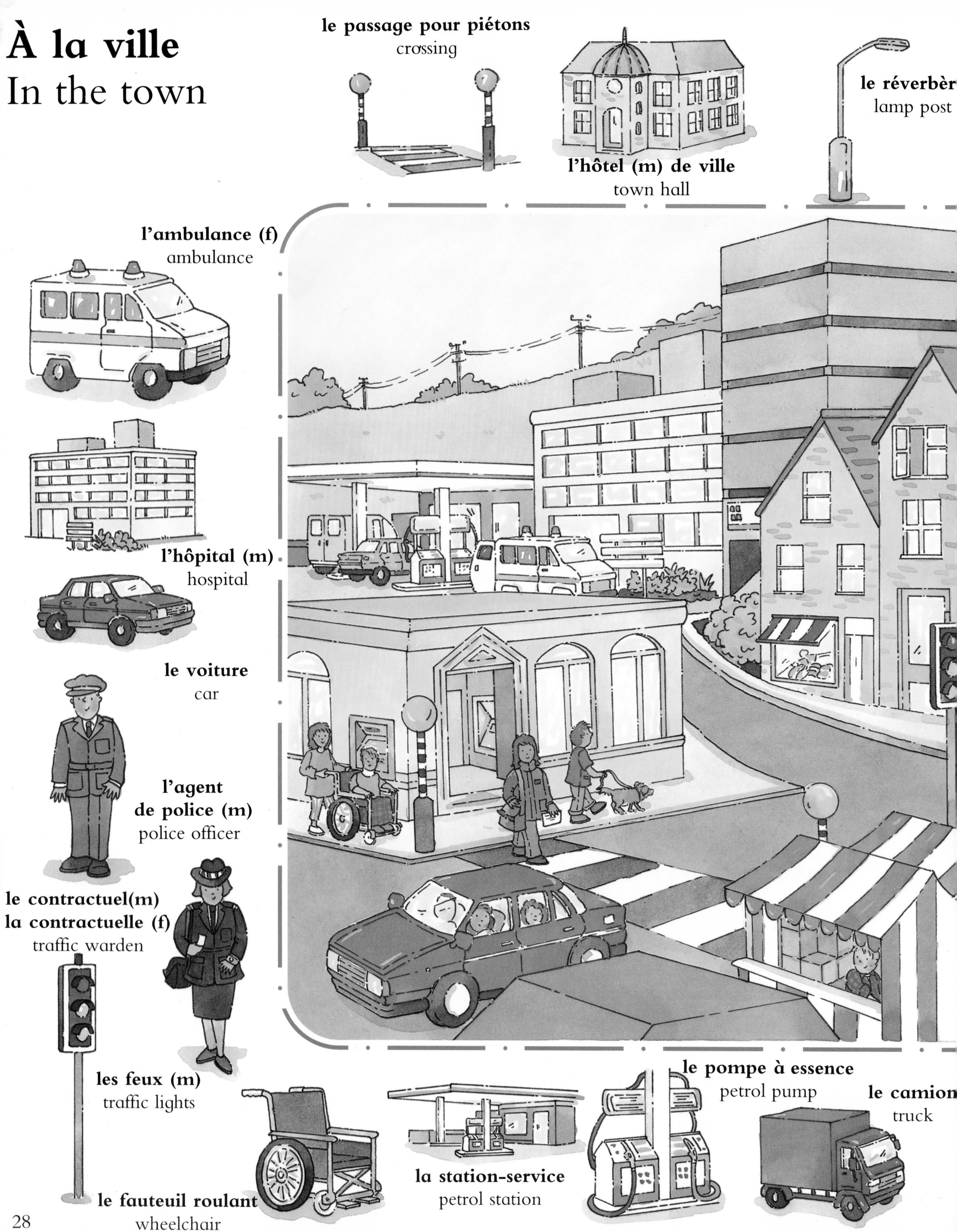
À la ville
In the town
le passage pour piétons
crossing
l'hôtel (m) de ville
town hall
le réverbèr
lamp post
l'ambulance (f)
ambulance
l'hôpital (m)
hospital
le voiture
car
l'agent
de police (m)
police officer
le contractuel(m)
la contractuelle (f)
traffic warden
les feux (m)
traffic lights
le fauteuil roulant
wheelchair
la station-service
petrol station
le pompe à essence
petrol pump
le camion
truck

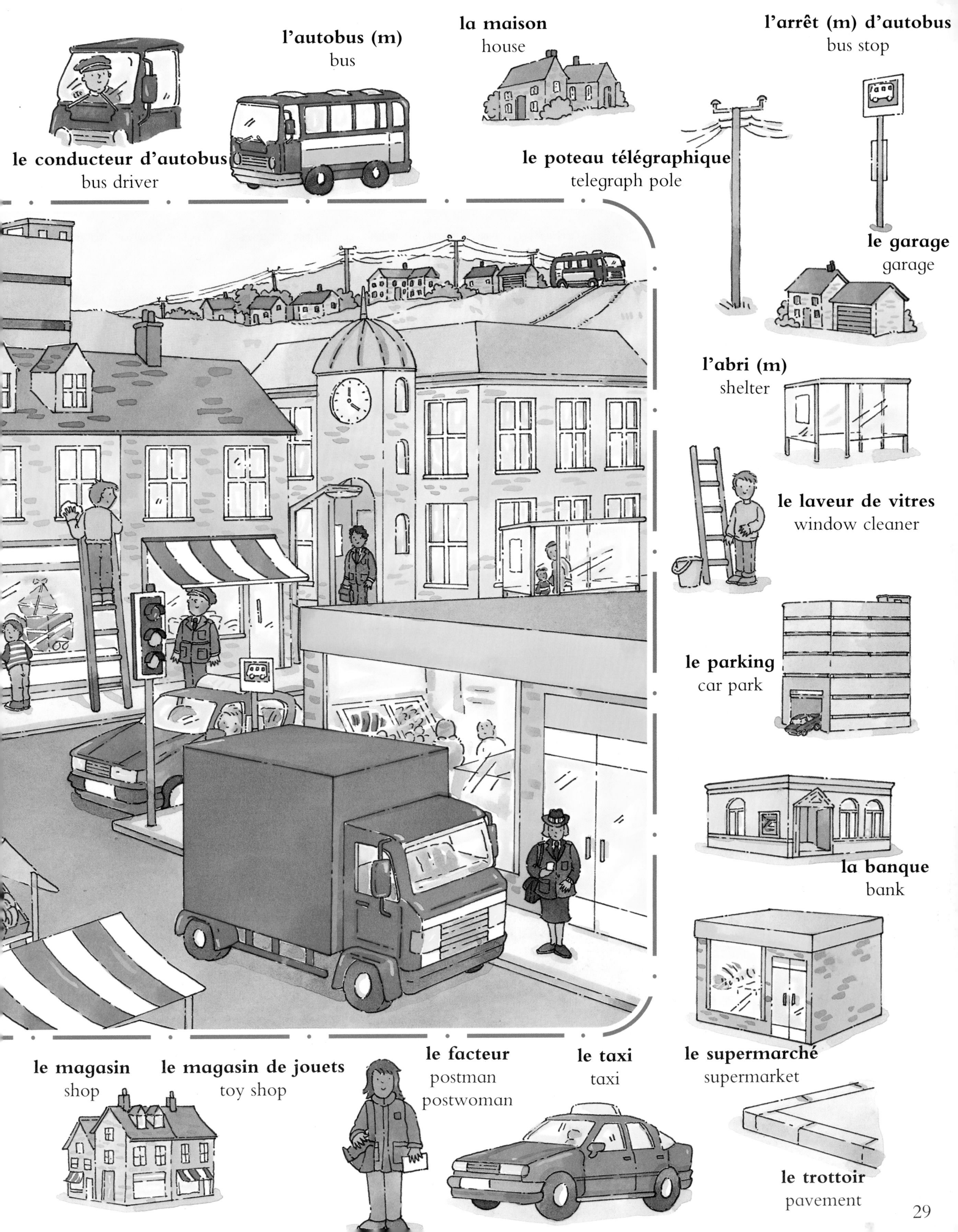
l'autobus (m)
bus
la maison
house
l'arrêt (m) d'autobus
bus stop
le conducteur d'autobus
bus driver
le poteau télégraphique
telegraph pole
le garage
garage
l'abri (m)
shelter
le laveur de vitres
window cleaner
le parking
car park
la banque
bank
le magasin
shop
le magasin de jouets
toy shop
le facteur
postman
postwoman
le taxi
taxi
le supermarché
supermarket
le trottoir
pavement

À la ferme
On the farm

le foin
hay

le fossé
ditch

le poulain
foal

le cheval
horse

le taureau
bull

la porcherie
pig sty

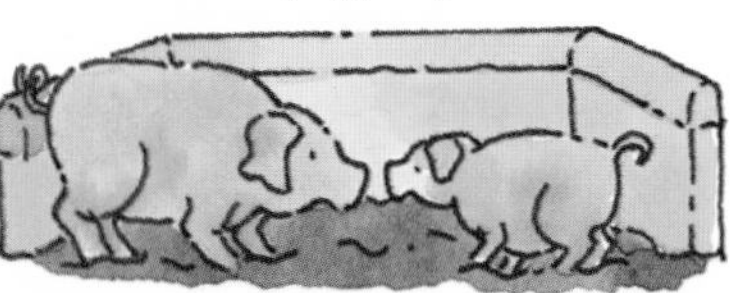

le cochon
pig

le porcelet
piglet

la grange
barn

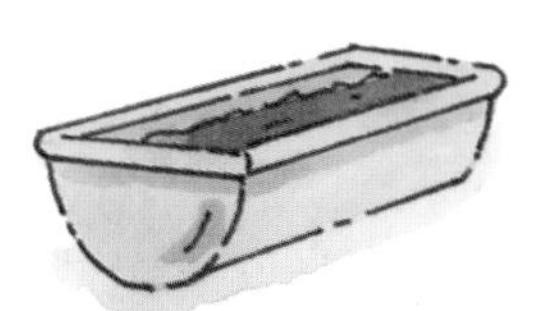

l'auge (f)
trough

le chien de berger
sheepdog

le fermier
farmer

le veau
calf

la vache
cow

l'oie (f)
goose

l'oison (m)
gosling

l'écurie (f)
stable

l'épouvantail (m)
scarecrow
le tracteur
tractor
la remorque
trailer
la poule
hen
le poussin
chick
le poulailler
hen house
l'étable (f)
cowshed
le mur
wall
la barrière
gate
le verger
orchard
l'échelle (f)
ladder
le mouton
sheep
le camion
truck
l'agneau (m)
lamb
le caneton
duckling
le canard
duck
la mare aux canards
duck pond
la cour de ferme
farmyard

Les voyages
Travelling

le voilier
sailing boat

le lac
lake

l'hélicoptère (m)
helicopter

la montgolfière
hot air balloon

la voile
sail

le yacht
yacht

le canoë
canoe

le pont
bridge

le tunnel
tunnel

la voiture
car

la péniche
canal boat

le canal
canal

la rame
oar

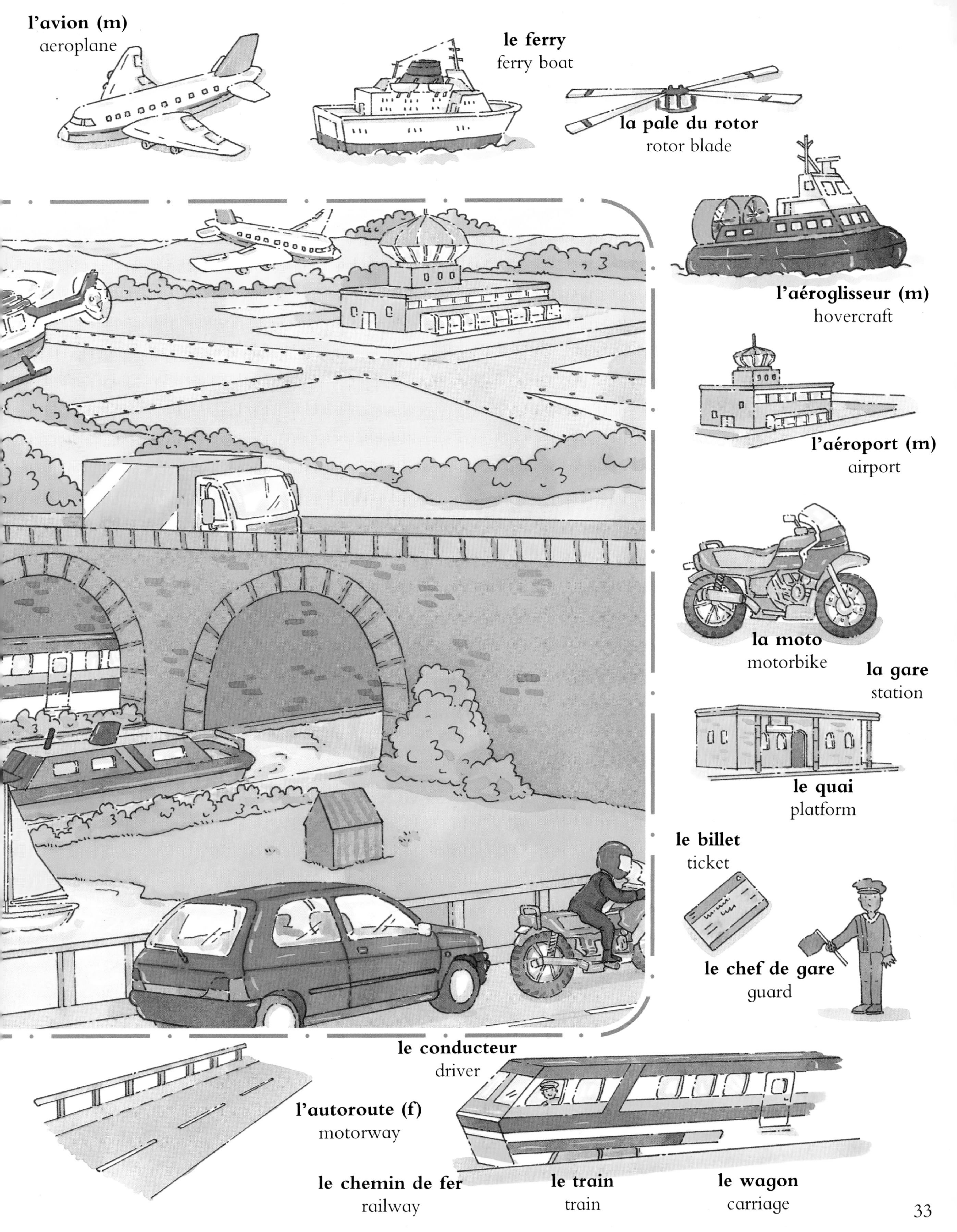
l'avion (m)
aeroplane
le ferry
ferry boat
la pale du rotor
rotor blade
l'aéroglisseur (m)
hovercraft
l'aéroport (m)
airport
la moto
motorbike
la gare
station
le quai
platform
le billet
ticket
le chef de gare
guard
le conducteur
driver
l'autoroute (f)
motorway
le chemin de fer
railway
le train
train
le wagon
carriage

À la plage
On the beach

la mer
sea

la falaise
cliff

la plage
beach

le coupe-vent
windbreak

la chaise longue
deckchair

l'hôtel (m)
hotel

le lait solaire
suntan lotion

les lunettes (f) de soleil
sunglasses

la serviette de plage
beach towel

le seau
bucket

la pelle
spade

le ballon de plage
beach ball

le panier de pique-nique
picnic basket

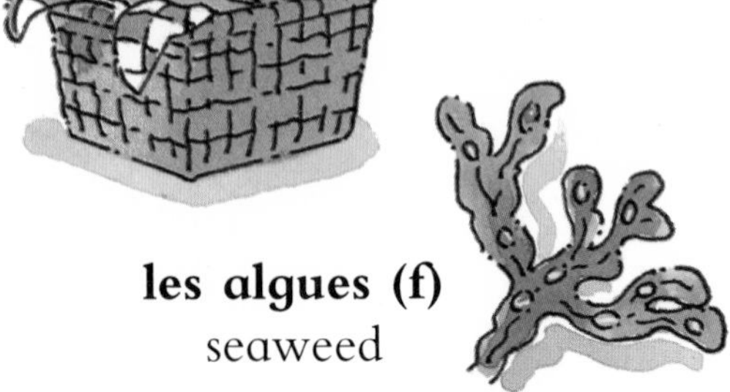

les algues (f)
seaweed

la crevette
shrimp

le tuba
snorkel

les lunettes (f) de plongée
goggles

le brassard de sauvetage
armband

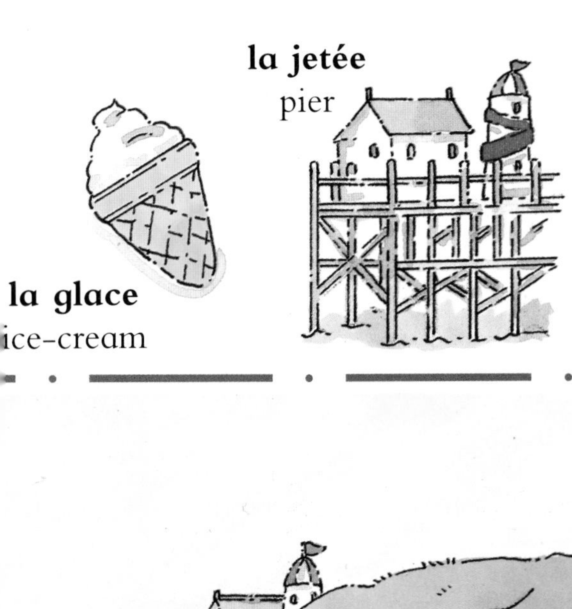

l'épuisette (f)
net

le galet
pebble

le coquillage
shell

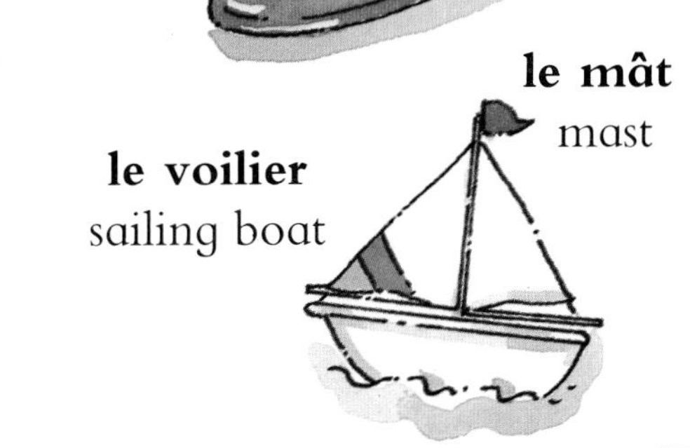

Sous l'eau
Underwater

le plongeur
diver

le phoque
seal

la tortue marine
turtle

le dauphin
dolphin

la raie
ray fish

l'hippocampe (m)
seahorse

le corail
coral

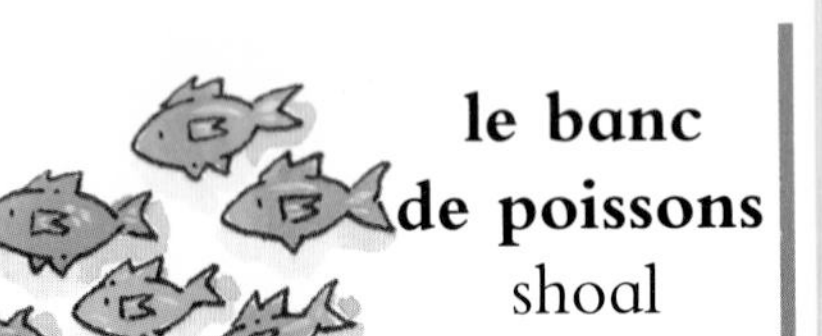

le banc de poissons
shoal

le morse
walrus

l'étoile (f) de mer
starfish

l'épave (f)
wreck

le trésor
treasure

le canon
cannon

la palourde
clam

la crevette
shrimp

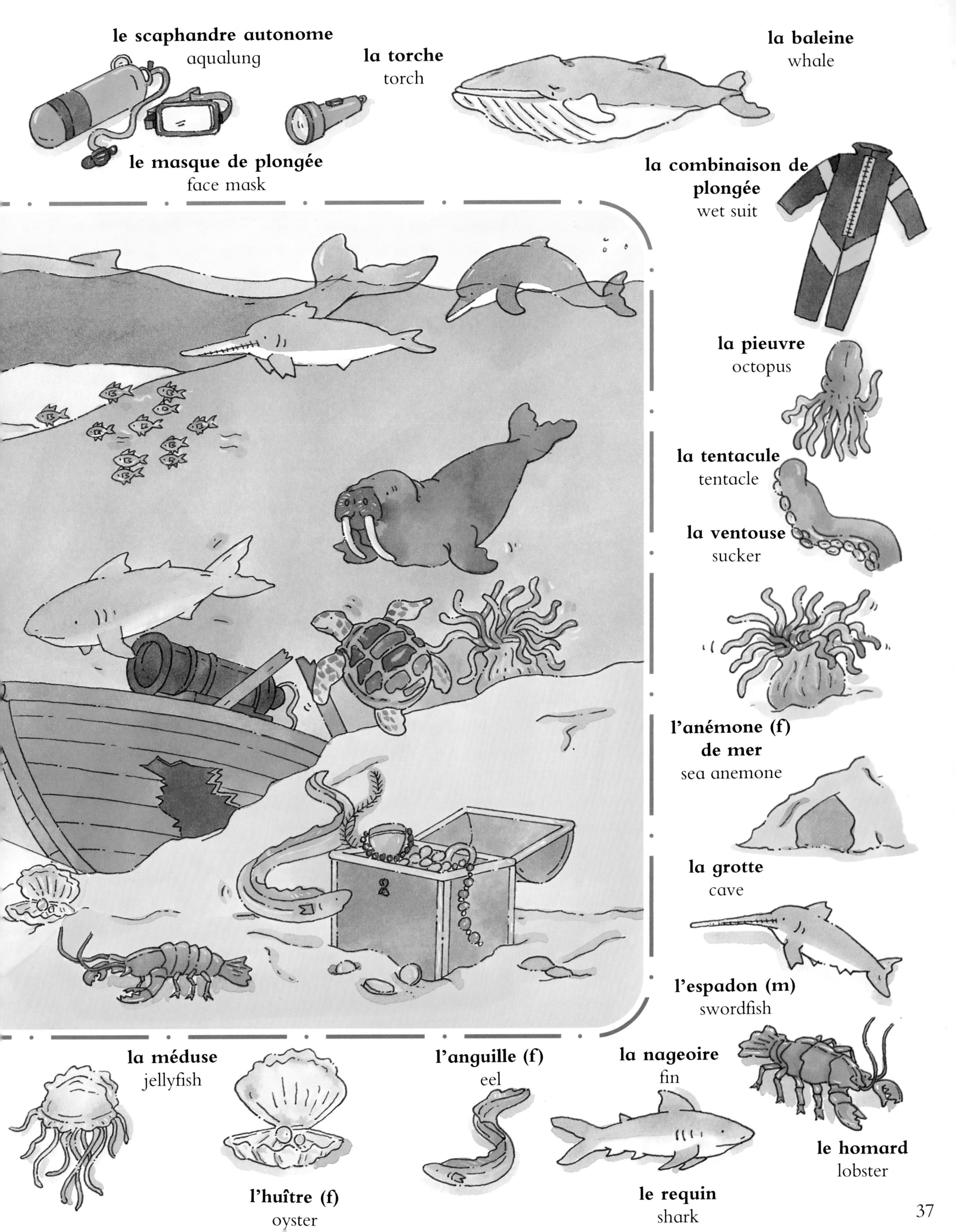
le scaphandre autonome
aqualung
la torche
torch
la baleine
whale
le masque de plongée
face mask
la combinaison de plongée
wet suit
la pieuvre
octopus
la tentacule
tentacle
la ventouse
sucker
l’anémone (f) de mer
sea anemone
la grotte
cave
l’espadon (m)
swordfish
la méduse
jellyfish
l’huître (f)
oyster
l’anguille (f)
eel
la nageoire
fin
le requin
shark
le homard
lobster

Les animaux sauvages
Wild animals

le singe
monkey

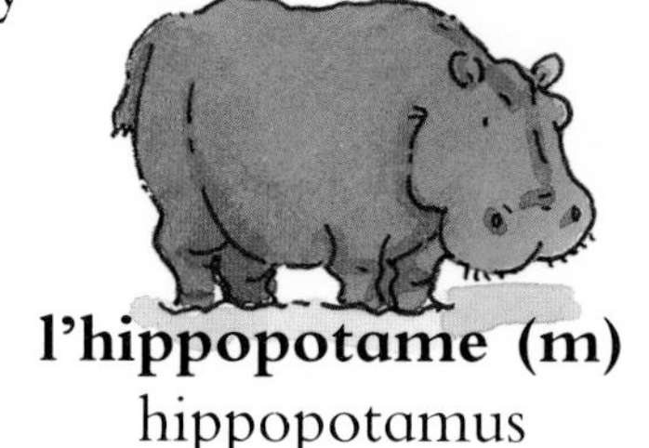

l'hippopotame (m)
hippopotamus

le serpent
snake

la chèvre
goat

le zèbre
zebra

le kangourou
kangaroo

la girafe
giraffe

le pélican
pelican

la corne
horn

le rhinocéros
rhinoceros

le lézard
lizard

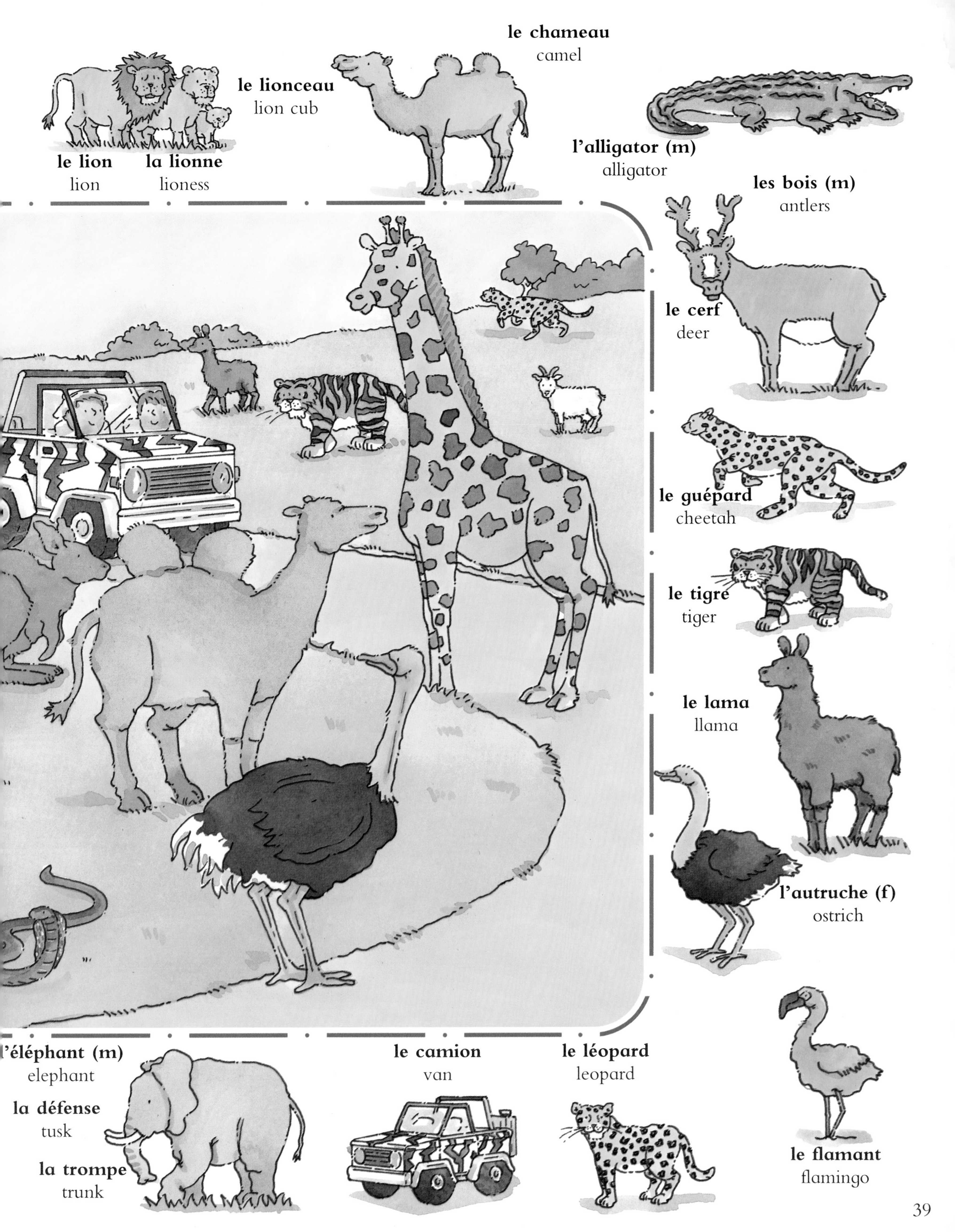
le lion
lion
la lionne
lioness
le lionceau
lion cub
le chameau
camel
l'alligator (m)
alligator
les bois (m)
antlers
le cerf
deer
le guépard
cheetah
le tigre
tiger
le lama
llama
l'autruche (f)
ostrich
l'éléphant (m)
elephant
la défense
tusk
la trompe
trunk
le camion
van
le léopard
leopard
le flamant
flamingo

La fête
Having a party

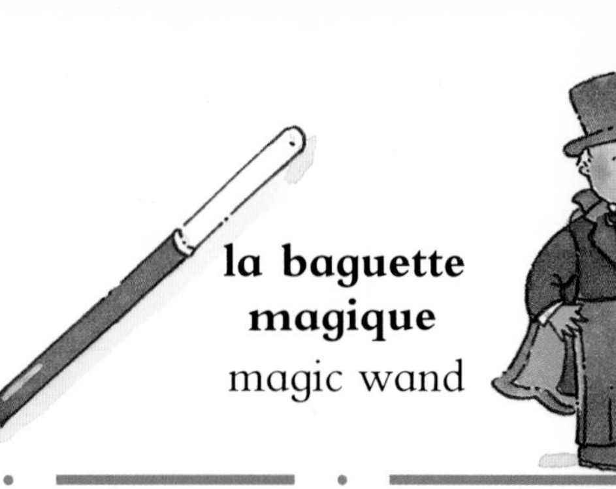

la baguette magique
magic wand

le magicien
magician

la grande cape
cloak

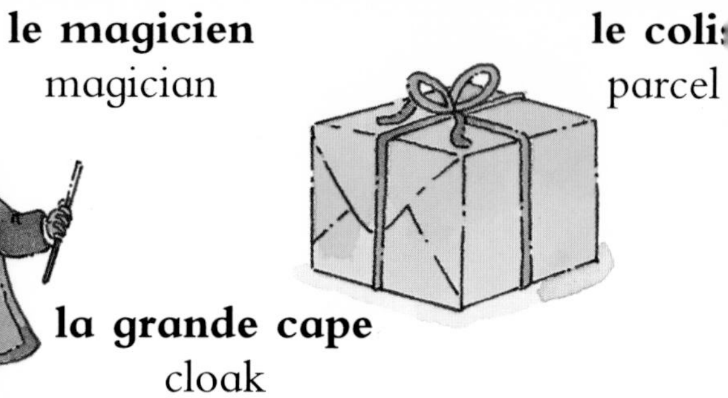

le coli
parcel

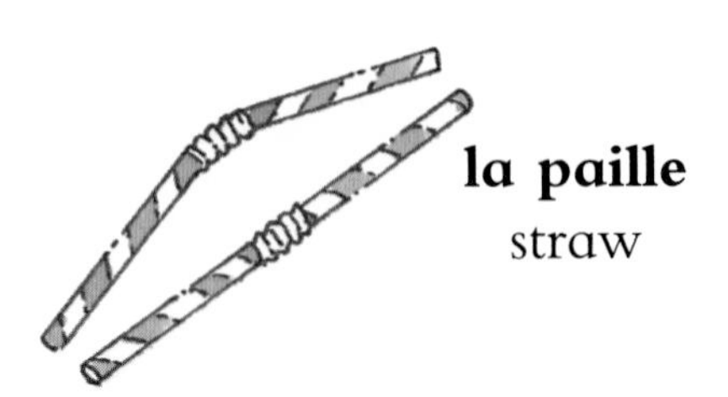

la paille
straw

le gâteau
cake

la guirlande électrique
fairy lights

le hot-dog
hot dog

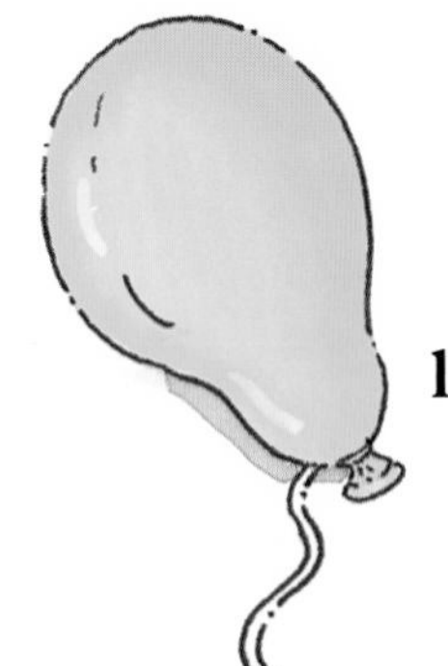

le ballon
balloon

la nappe
tablecloth

la bougie
candle

l'assiette (f) en carton
paper plate

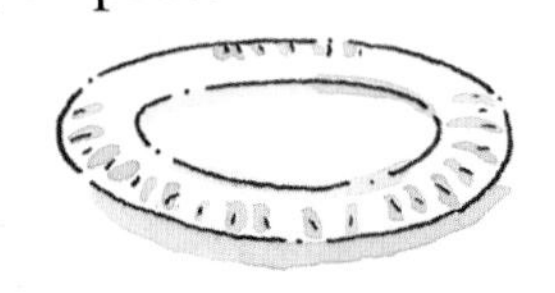

le gobelet en carton
paper cup

la serviette en papier
paper napkin

le noeud
bow

la carte
card

le sifflet en papier
party squeaker

la couronne en papier
paper hat

le serpentin
streamer

le ruban
ribbon

la robe de fête
party dress

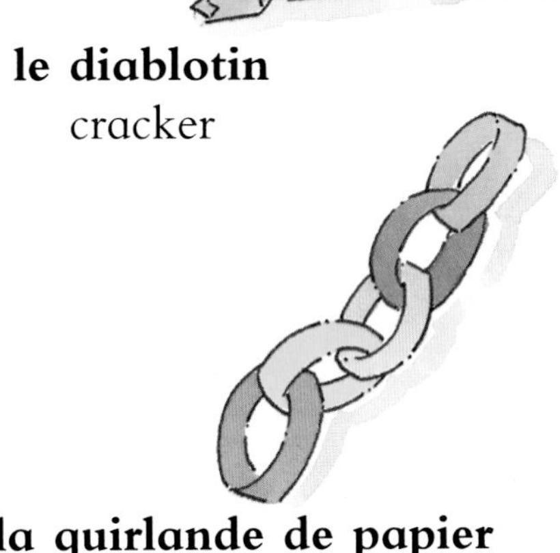

le diablotin
cracker

la guirlande de papier
paper chain

la fleur en papier
paper flower

la boisson
drink

le chapeau haut-de-forme
top hat

le mouchoir
handkerchief

le cadeau
present

Le monde des histoires
World of stories

le clown
clown
le château
castle
le fantôme
ghost
la fée
fairy
le géant
giant
le bouffon
jester
la licorne
unicorn
la couronne
crown
le prince
prince
la princesse
princess
le manche à balai
broomstick
la sorcière
witch
la maquillage
make-up
le champignon vénéneux
toadstool
le bois enchanté
enchanted wood

Les formes et les couleurs
Shapes and colours

orange
orange
vert/verte
green
violet/violette
purple
rose
pink
gris/grise
grey
blanc/blanche
white
jaune
yellow
bleu/bleue
blue
noir/noire
black
marron
brown
rouge
red
le rectangle
rectangle
le carré
square
l'étoile (f)
star
le cercle
circle
la sphère
sphere
le cube
cube
court/courte
short
grand/grande
tall
l'arc-en-ciel (m)
rainbow
petit/petite
short
long/longue
long
le triangle
triangle

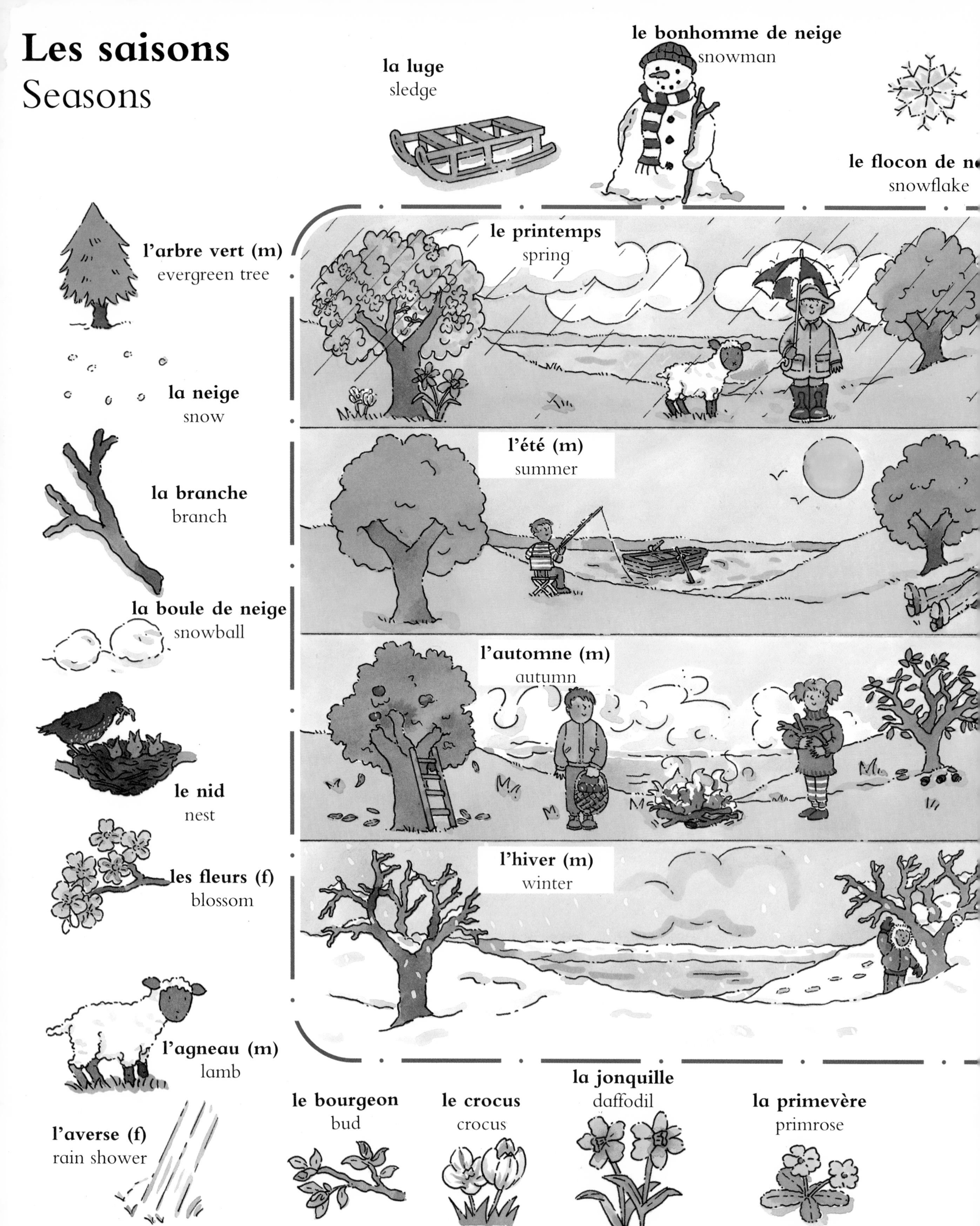
Les saisons
Seasons
la luge
sledge
le bonhomme de neige
snowman
le flocon de n
snowflake
l'arbre vert (m)
evergreen tree
la neige
snow
la branche
branch
la boule de neige
snowball
le nid
nest
les fleurs (f)
blossom
l'agneau (m)
lamb
l'averse (f)
rain shower
le printemps
spring
l'été (m)
summer
l'automne (m)
autumn
l'hiver (m)
winter
le bourgeon
bud
le crocus
crocus
la jonquille
daffodil
la primevère
primrose

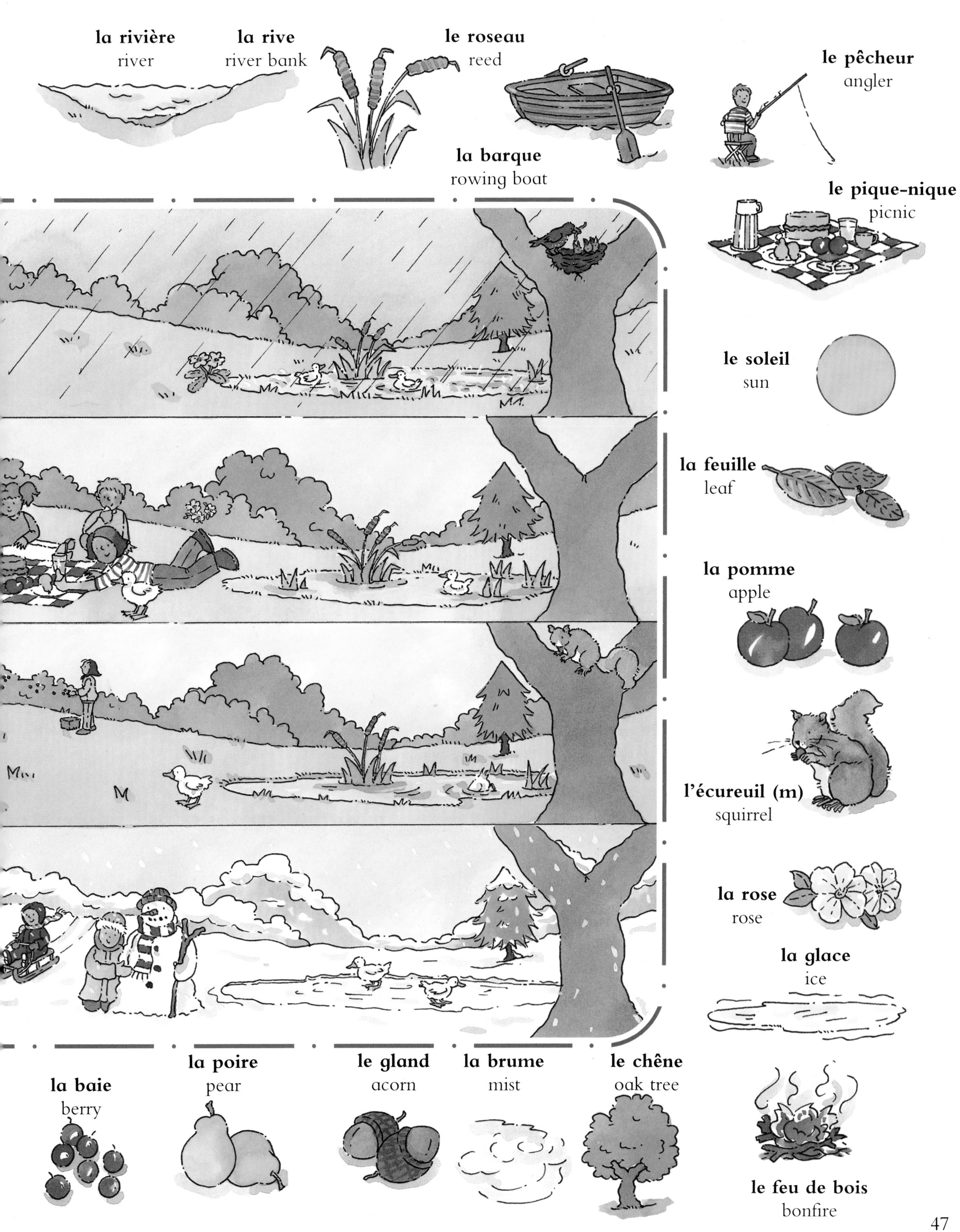
la rivière
river
la rive
river bank
le roseau
reed
la barque
rowing boat
le pêcheur
angler
le pique-nique
picnic
le soleil
sun
la feuille
leaf
la pomme
apple
l'écureuil (m)
squirrel
la rose
rose
la glace
ice
la baie
berry
la poire
pear
le gland
acorn
la brume
mist
le chêne
oak tree
le feu de bois
bonfire

Les jours de la semaine
Days of the week

lundi Monday	**mardi** Tuesday	**mercredi** Wednesday	**jeudi** Thursday	**vendredi** Friday
samedi Saturday	**dimanche** Sunday		**le week-end** the weekend	

Les mois de l'année
Months

janvier January	**avril** April	**juillet** July	**octobre** October
février February	**mai** May	**août** August	**novembre** November
mars March	**juin** June	**septembre** September	**décembre** December

1	**2**	**3**	**4**	**5**	**6**	**7**	**8**	**9**	**10**
un	**deux**	**trois**	**quatre**	**cinq**	**six**	**sept**	**huit**	**neuf**	**dix**
11	**12**	**13**	**14**	**15**	**16**	**17**	**18**	**19**	**20**
onze	**douze**	**treize**	**quatorze**	**quinze**	**seize**	**dix-sept**	**dix-huit**	**dix-neuf**	**vingt**

21	**22**	**23**	**24**	**25**
vingt et un	**vingt-deux**	**vingt-trois**	**vingt-quatre**	**vingt-cinq**

30	**40**	**50**	**60**	**70**	**80**	**90**
trente	**quarante**	**cinquante**	**soixante**	**soixante-dix**	**quatre-vingts**	**quatre-vingt-dix**

100	**1,000**	**1,000,000**
cent	**mille**	**million**

Dictionnaire Illustré Anglais - Français

Picture Dictionary English - French

Aa

acorn
le gland

aerial
l'antenne (f)

aeroplane
l'avion (m)

airport
l'aéroport (m)

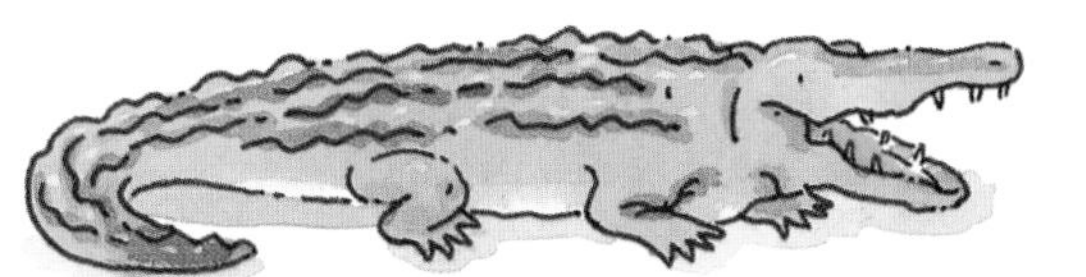
alligator
l'alligator (m)

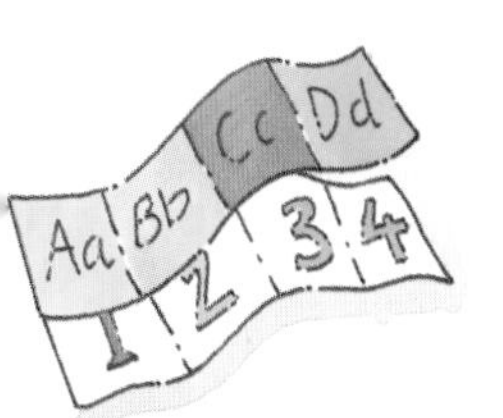

alphabet
l'alphabet (m)

ambulance
l'ambulance (f)

angler
le pêcheur

anorak
l'anorak (m)

antlers
les bois (m)

apple
la pomme

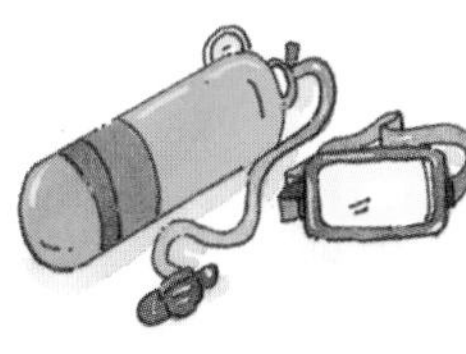
aqualung
le scaphandre autonome

armband
le brassard de sauvetage

armchair
le fauteuil

armour
l'armure (f)

arrow
la flèche

articulated lorry
la semi-remorque
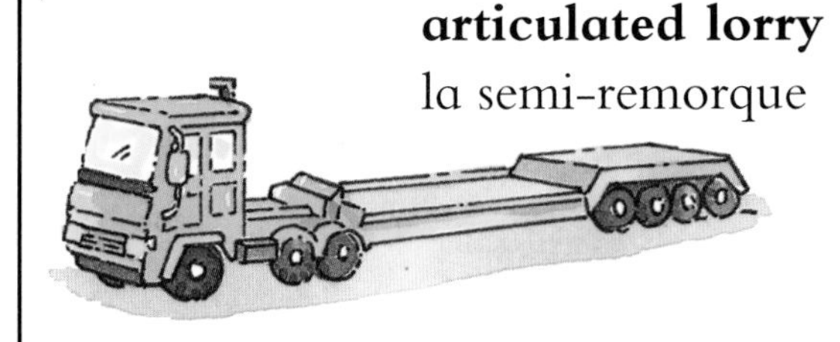

audience
les spectateurs (m)

autumn
l'automne (m)

Bb

baby
le bébé

back door
la porte de derrière

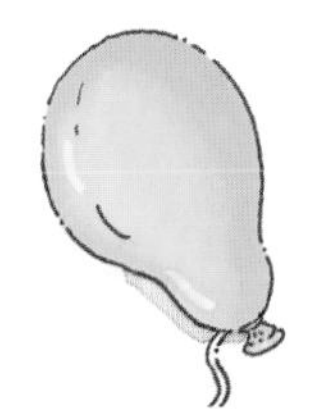
balloon
le ballon

banana
la banane

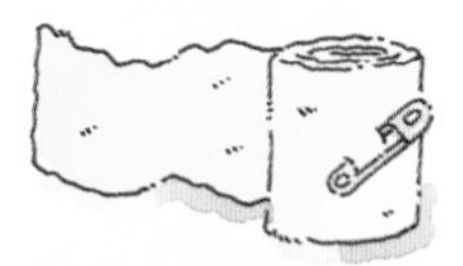
bandage
la bande

bank
la banque

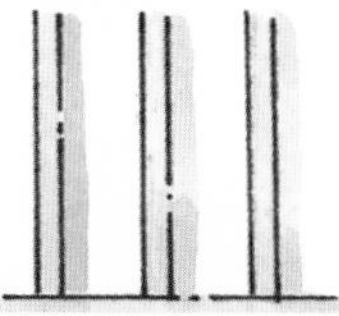
bar
le barreau

barn
la grange

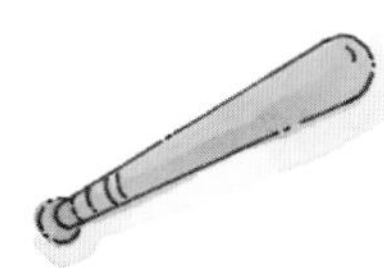
baseball bat
la batte de base-ball

bath
la baignoire

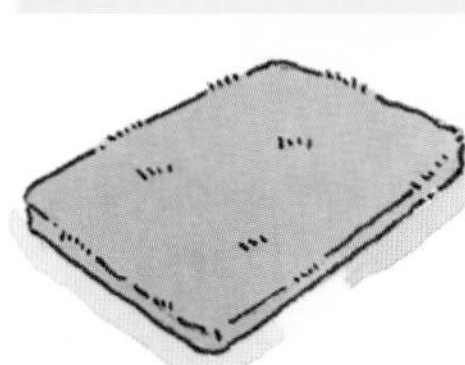
bath mat
le tapis de bain

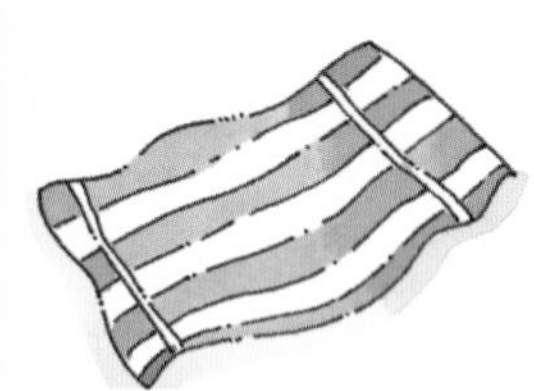
bath towel
la serviette de bain

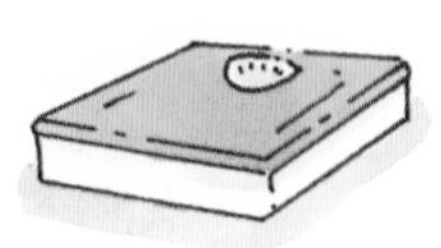
bathroom scales
le pèse-personne

beach
la plage

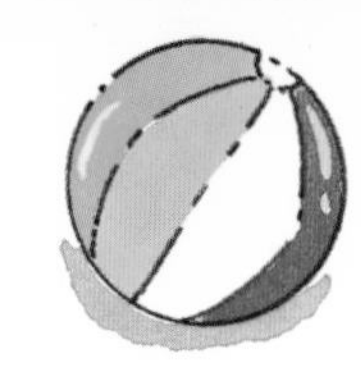
beach ball
le ballon de plage

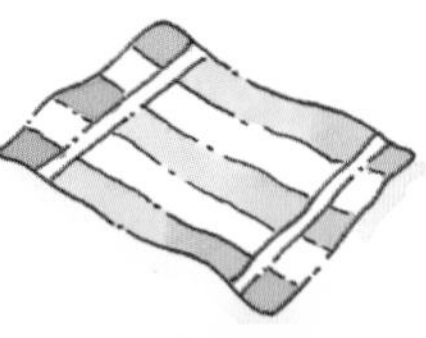
beach towel
la serviette de plage

beak
le bec

beaker
le gobelet

bedding
la litière

belt
la ceinture

bench
le banc

berry
la baie

bicycle
le vélo

bird
l'oiseau (m)

bird table
la mangeoire

biscuit tin
la boîte à biscuits

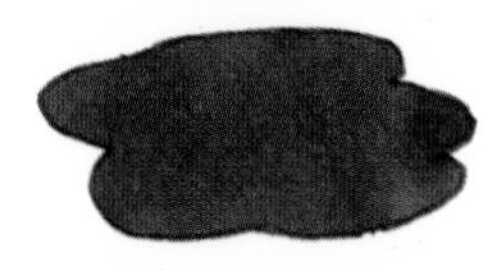
black
noir/noire

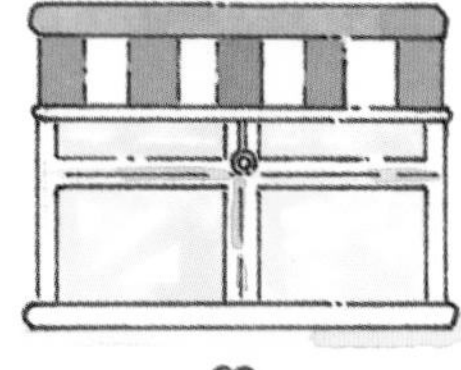
blind
le store

blossom
les fleurs (f)

blue
bleu/bleue

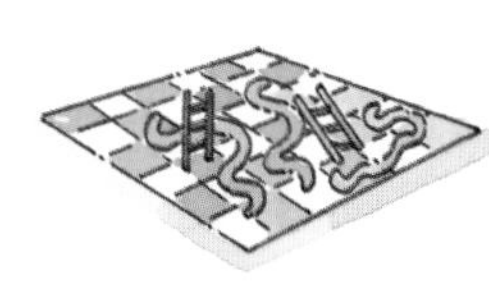
board game
le jeu de société

boat
le bateau

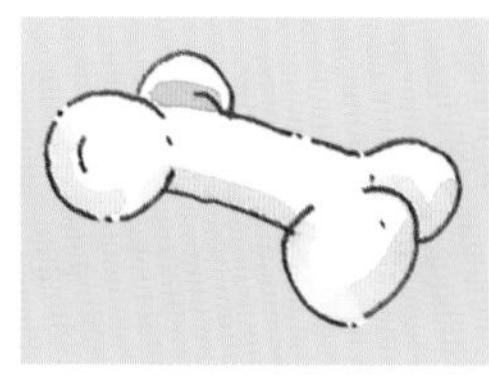
bone
l'os (m)

bonfire
le feu de bois

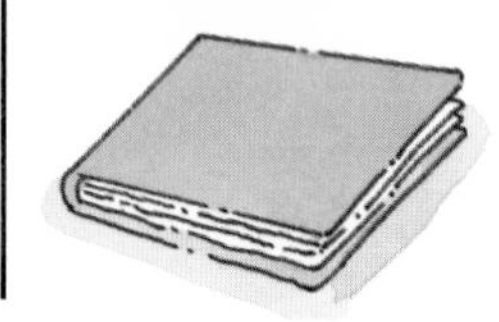
book
le livre

bookcase
la bibliothèque

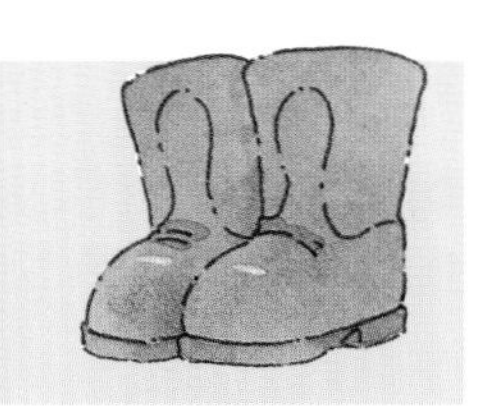

boot
la botte

border
la bordure

bottom
le bas

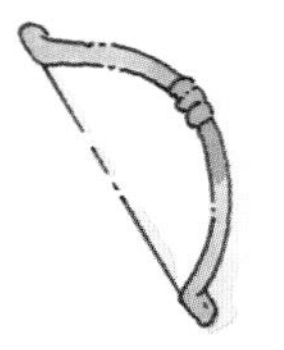

bow
l'arc (m)

bow
le nœud

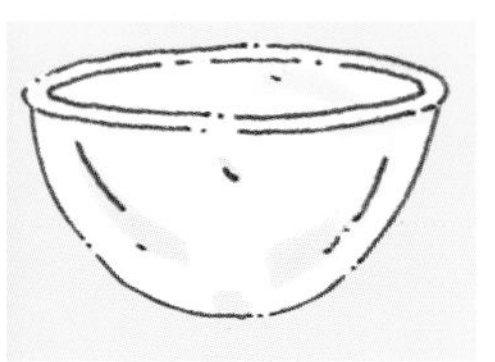

bowl
le saladier

box
la boîte

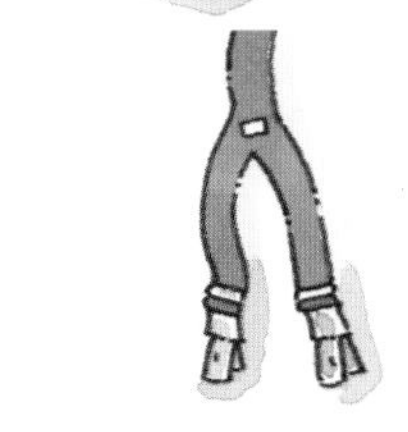

braces
les bretelles (f)

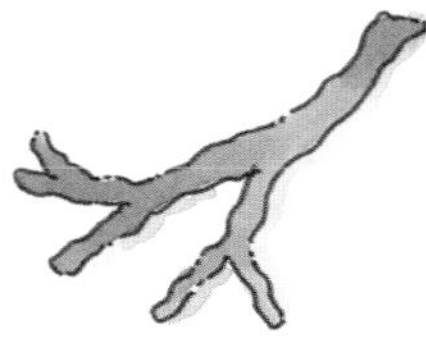

branch
la branche

bread
le pain

brick
la brique

bricklayer
le maçon

bridge
le pont

broom
le balai

broomstick
le manche à balai

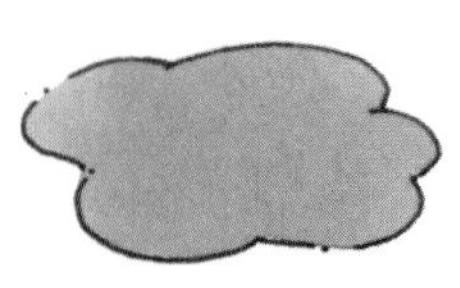

brown
marron

bucket
le seau

buckle
la boucle

bud
le bourgeon

budgerigar
la perruche

builder
le maçon

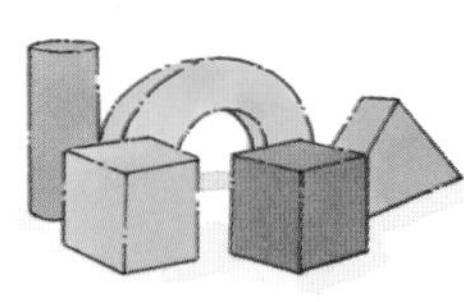

building block
le jeu
de construction

bull
le taureau

bulldozer
le bulldozer

bus
l'autobus (m)

bus driver
le conducteur
d'autobus

bus stop
l'arrêt (m) d'autobus

bush
le buisson

butter
le beurre

button
le bouton

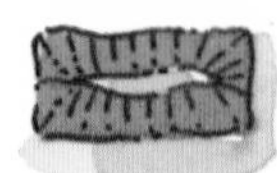
buttonhole
la boutonnière

Cc

cabinet
l'armoire (f) à pharmacie

café
le café

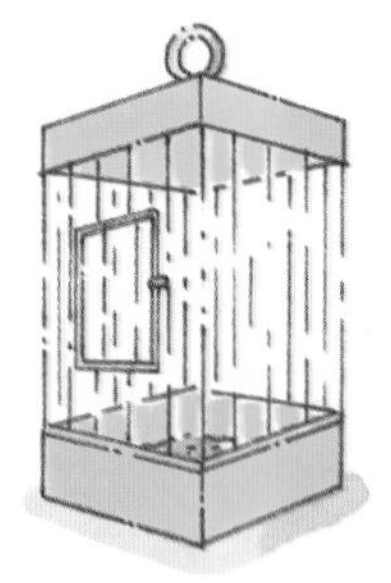
cage
la cage

cake
le gâteau

calf
le veau

camel
le chameau

canal
le canal

canal boat
la péniche

candle
la bougie

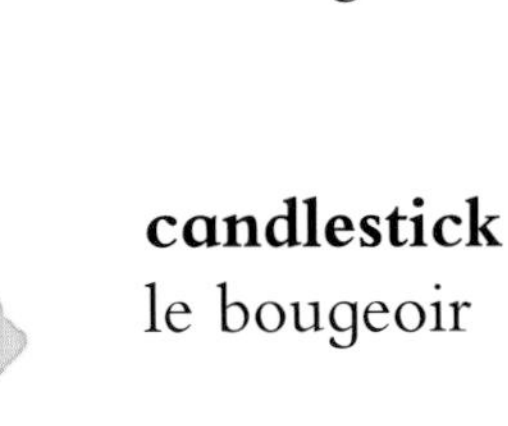
candlestick
le bougeoir

cannon
le canon

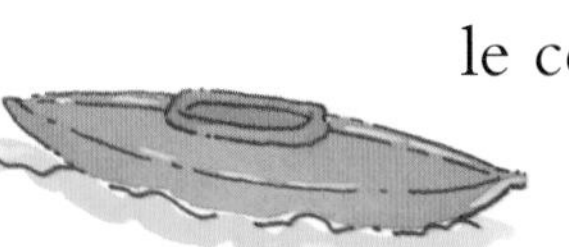
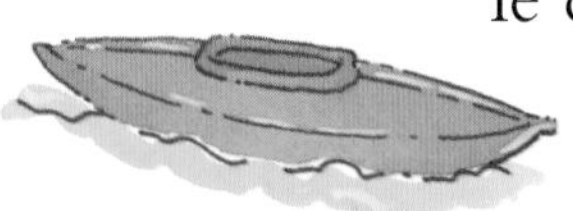
canoe
le canoë

car
la voiture

car park
le parking

card
la carte

cardboard model
la maquette

cardigan
le gilet

carpenter
le charpentier

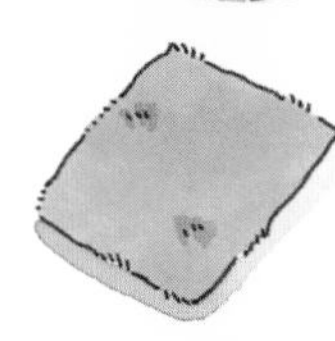
carpet
le tapis

carriage
le wagon

castle
le château

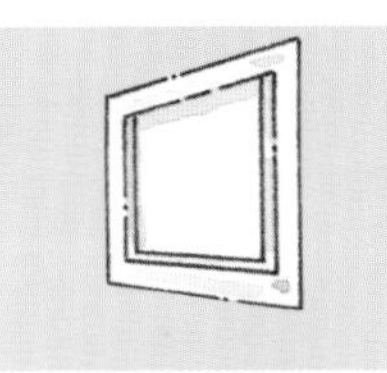
cat flap
la chatière

cauldron
le chaudron

cauliflower
le chou-fleur

cave
la grotte

cement mixer
la bétonnière

cereal
les céréales (f)

chair
le fauteuil

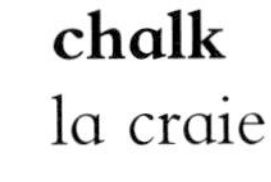

chalk
la craie

chalkboard
le tableau noir

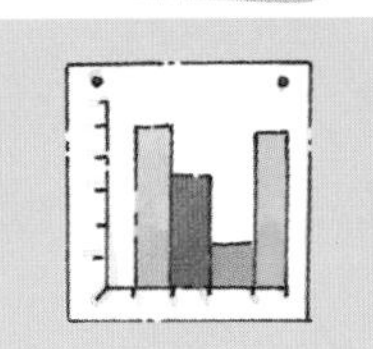

chart
le diagramme

cheese
le fromage

cheetah
le guépard

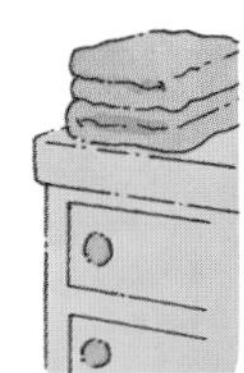

chest of drawers
la commode

chick
le poussin

chips
les frites (f)

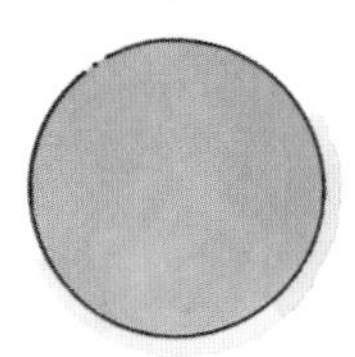

circle
le cercle

clam
la palourde

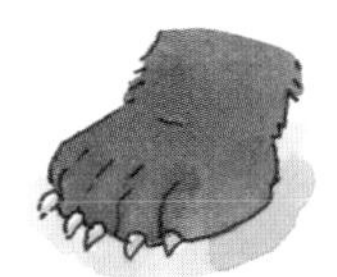

claw
la griffe

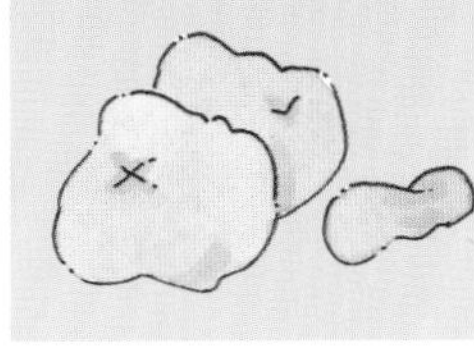

clay
l'argile (f)

cliff
la falaise

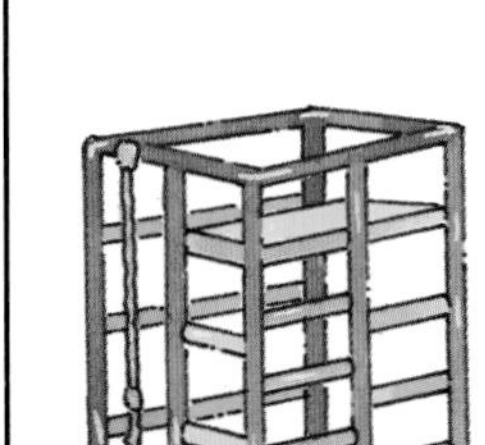

climbing frame
la cage à poules

cloak
la grande cape

clock
l'horloge (f)

clown
le clown

coat
le manteau

coconut
la noix de coco

coffee
le café

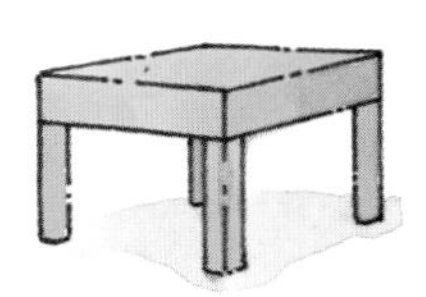

coffee table
la table basse

collar
le col

colouring book
l'album (m)
de coloriage

comic
la bande dessinée

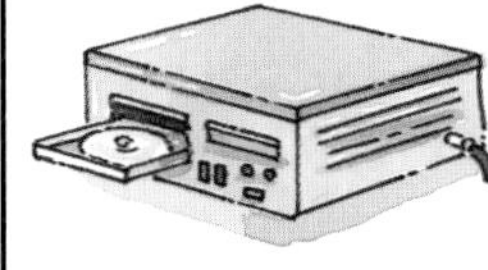

compact disc player
le lecteur laser

compressor
le compresseur

computer
l'ordinateur (m)

concrete mixer
le camion malaxeur

cooker
la cuisinière

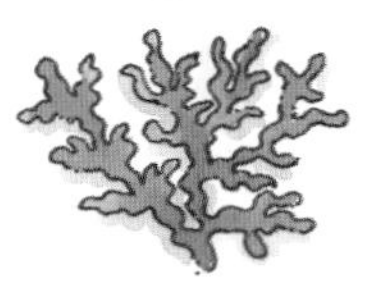

coral
le corail

cord
le cordon

cotton wool
le coton

cow
la vache

cowboy outfit
la tenue de cow-boy

cowshed
l'étable (f)

cracker
le diablotin

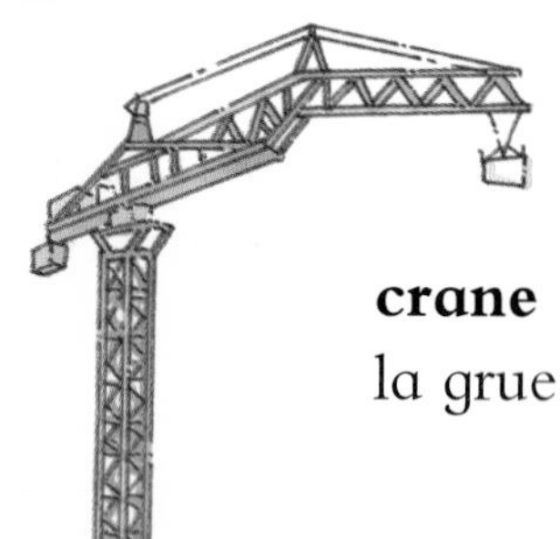

crane
la grue

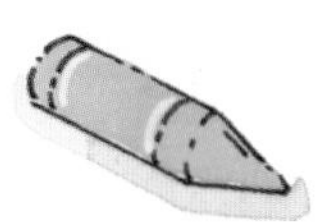

crayon
le crayon de couleur

crisps
les chips (f)

crocus
le crocus

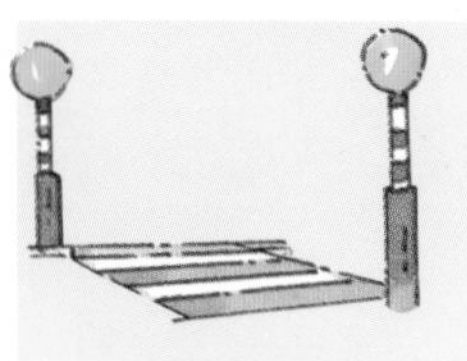

crossing
le passage pour piétons

crown
la couronne

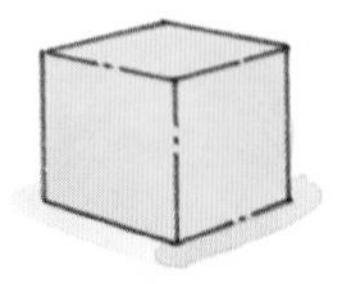

cube
le cube

cucumber
le concombre

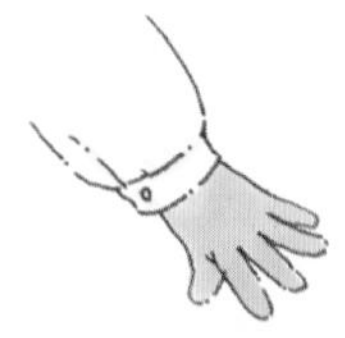

cuff
la manchette

cup
la tasse

cupboard
le placard

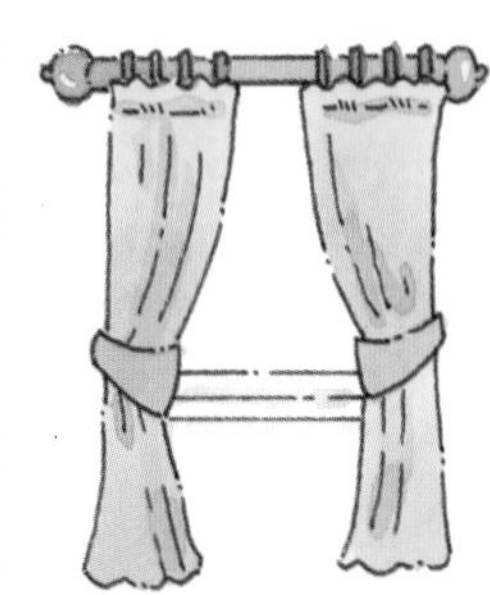

curtain
le rideau

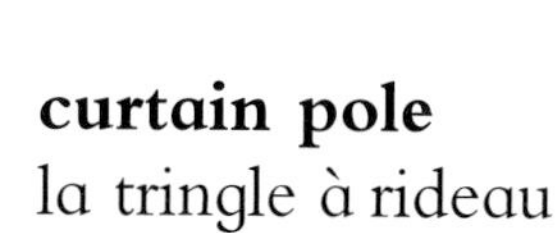

curtain pole
la tringle à rideau

Dd

daffodil
la jonquille

dandelion
le pissenlit

deckchair
la chaise longue

deer
le cerf

desk
le bureau

dice
le dé

digger
la pelleteuse

ditch
le fossé

diver
le plongeur

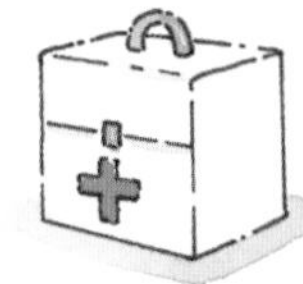

doctor's bag
la sacoche de médecin

doctor's outfit
la tenue de médecin

doll's clothes
les vêtements (m) de poupée

doll's house
la maison de poupée

dolphin
le dauphin

down
en bas

dragon
le dragon

draining board
l'égouttoir (m)

drawer
le tiroir

drawing
le dessin

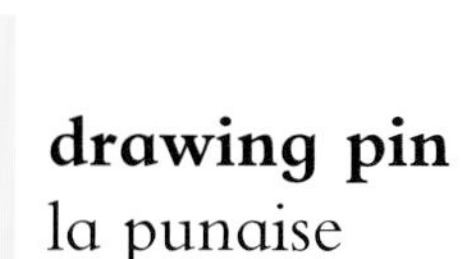

drawing pin
la punaise

dress
la robe

dressing gown
la robe de chambre

drink
la boisson

driver
le conducteur

drum
le tambour

duck
le canard

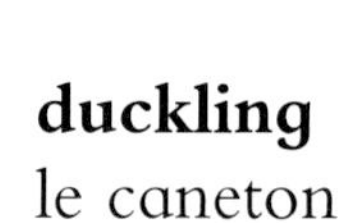

duckling
le caneton

duck pond
la mare aux canards

dumper truck
le dumper

dungarees
la salopette

Ee

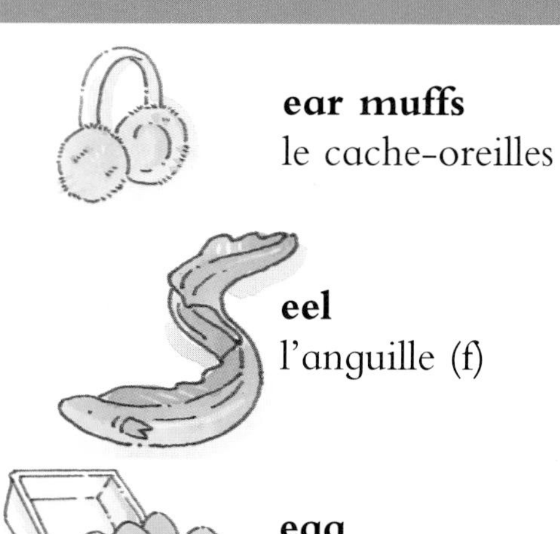

ear muffs
le cache-oreilles

eel
l'anguille (f)

egg
l'œuf (m)

elephant
l'éléphant (m)

enchanted wood
le bois enchanté

evergreen tree
l'arbre vert (m)

Ff

face mask
le masque de plongée

fairy
la fée

fairy lights
la guirlande électrique

family
la famille

fan
l'aérateur (m)

farmer
le fermier

farmyard
la cour de ferme

fat
gros/grosse

ferry boat
le ferry

fin
la nageoire

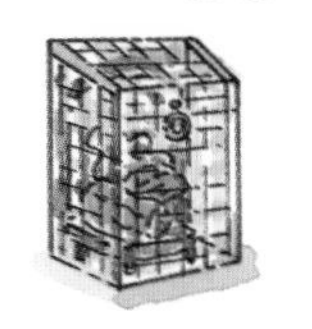
fire
le feu

fire engine
la voiture de pompiers

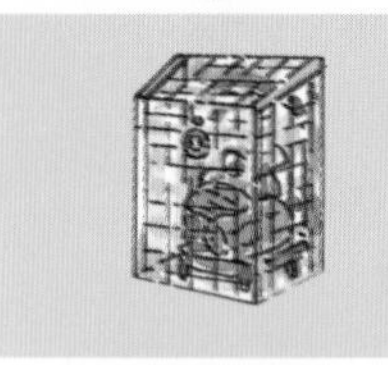
fireguard
le garde-feu

fireplace
la cheminée

flag
le drapeau

flamingo
le flamant

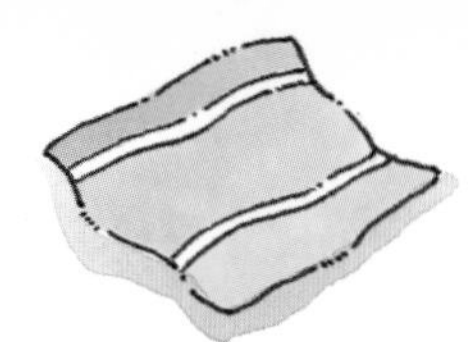
flannel
le gant de toilette

flashcard
le support visuel

flipper
la palme

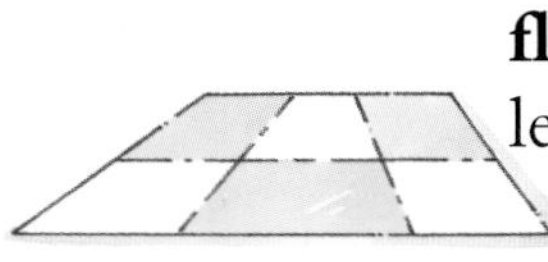
floor tile
le carrelage

flower bed
la plate-bande

flowerpot
le pot de fleurs

foal
le poulain

food bowl
la gamelle

football
le ballon de football

fork
la fourchette

fossil
le fossile

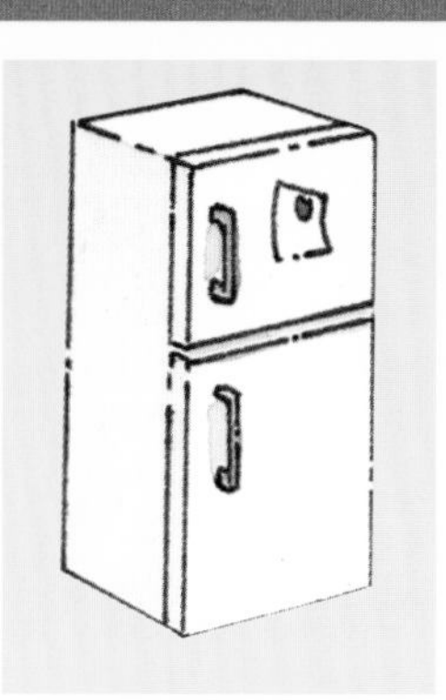
freezer
le congélateur

fridge
le réfrigérateur

frying pan
la poêle

fur
la fourrure

Gg

garage
le garage

garden birds
les oiseaux (m) du jardin

garden fork
la fourche

garlic
l'ail (m)

gate
la barrière

gerbil
la gerbille

ghost
le fantôme

giant
le géant

giraffe
la girafe

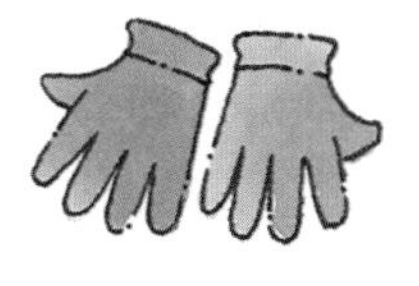
glove
le gant

glove puppet
la marionnette à gaine

gnome
le gnome

goat
la chèvre

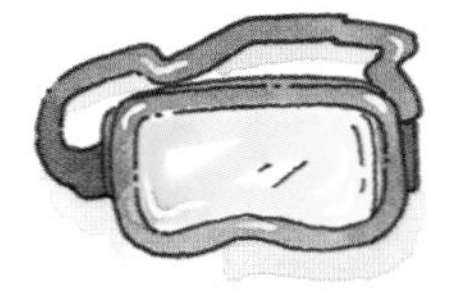
goggles
les lunettes (f) de plongée

goose
l'oie (f)

gosling
l'oison (m)

grape
le raisin

green
vert/verte

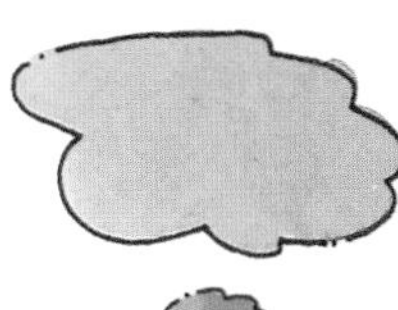
grey
gris/grise

guard
le chef de gare

guinea pig
le cochon d'Inde

guitar
la guitare

hamburger
le hamburger

hamster
le hamster

hamster house
la cage du hamster

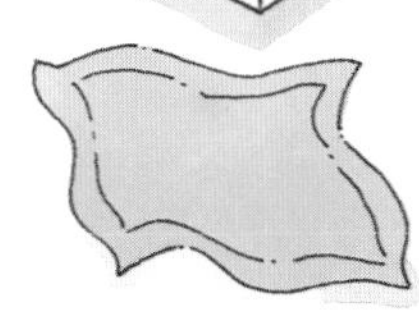
handkerchief
le mouchoir

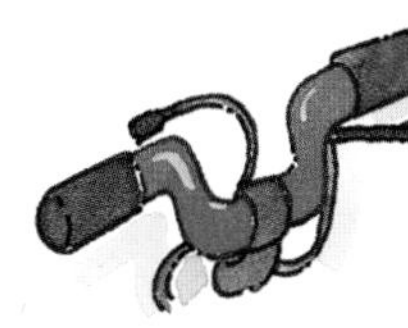
handlebars
le guidon

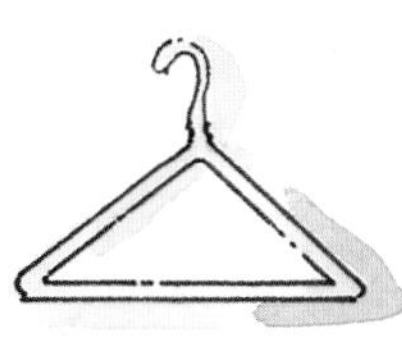
hanger
le cintre

happy
joyeux/joyeuse

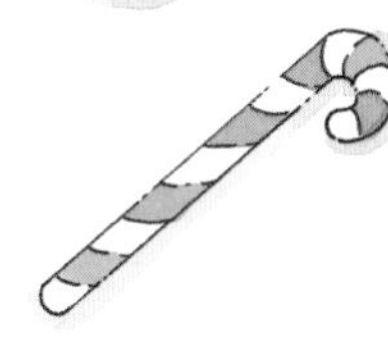
hard
dur/dure

hat
le chapeau

hay
le foin

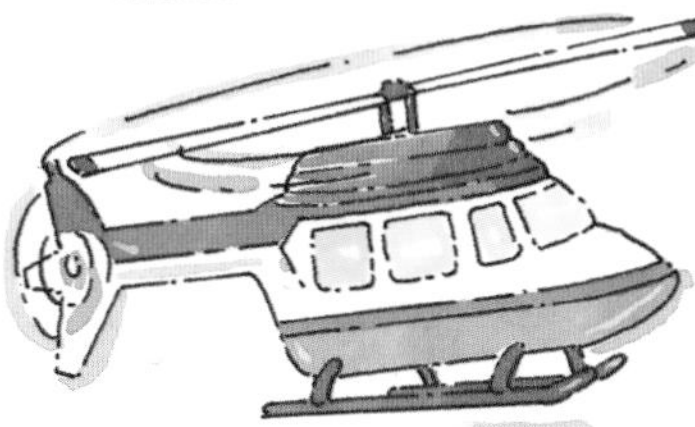
helicopter
l'hélicoptère (m)

helmet
le casque

hen
la poule

hen house
le poulailler

hippopotamus
l'hippopotame (m)

honey
le miel

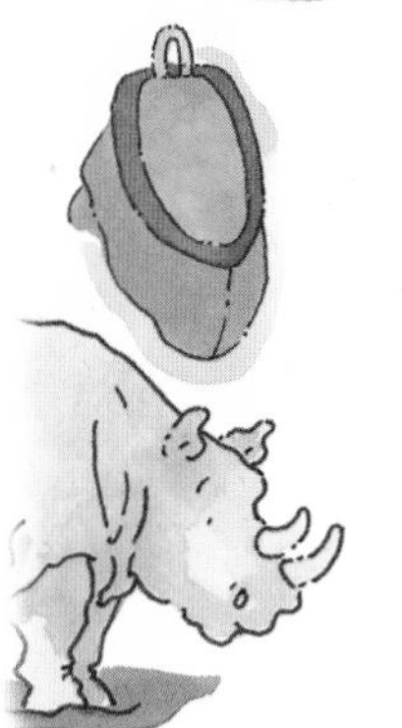

hood
le capuchon

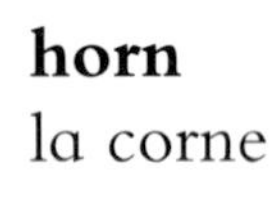

horn
la corne

horse
le cheval

hose
le tuyau d'arrosage

hospital
l'hôpital (m)

hot air balloon
la montgolfière

hot dog
le hot-dog

hotel
l'hôtel (m)

house
la maison

hovercraft
l'aéroglisseur (m)

hutch
le clapier

Ii

ice
la glace

ice-cream
la glace

island
l'île (f)

Jj

jam
la confiture

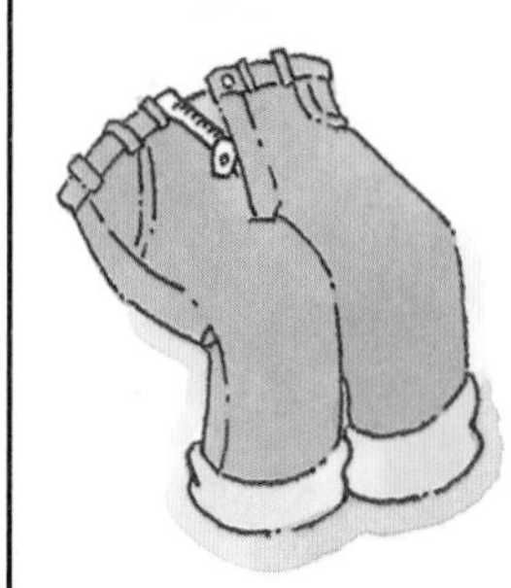

jeans
le jean

jellyfish
la méduse

jester
le bouffon

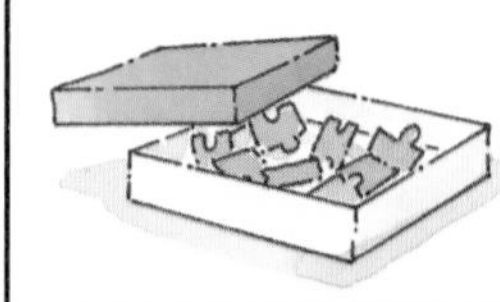

jigsaw puzzle
le puzzle

jug
le pichet

juice
le jus

jumper
le pull

Kk

kangaroo
le kangourou

king
le roi

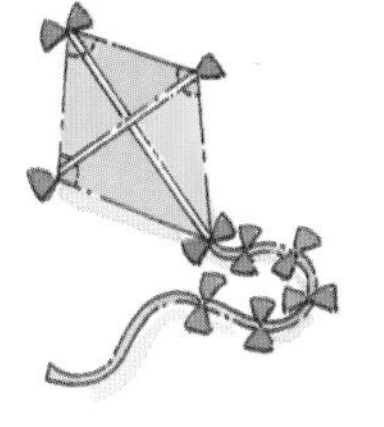
kite
le cerf-volant

kitten
le chaton

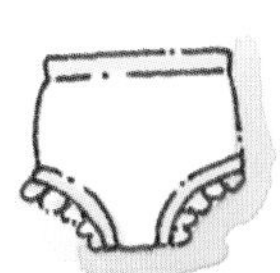
knickers
la culotte

knife
le couteau

knight
le chevalier

Ll

lace
le lacet

ladder
l'échelle (f)

lake
le lac

lamb
l'agneau (m)

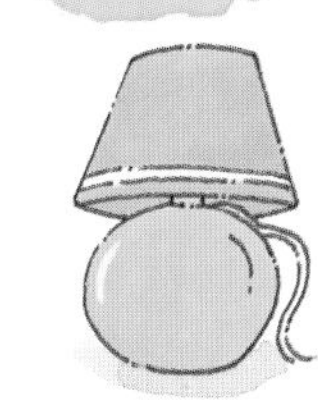
lamp
la lampe

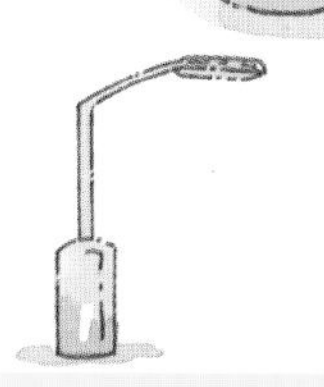
lamp post
le réverbère

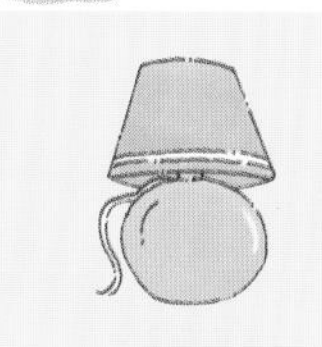
lampshade
l'abat-jour (m)

laundry basket
le panier à linge

lawn
la pelouse

lawnmower
la tondeuse

lead
la laisse

leaf
la feuille

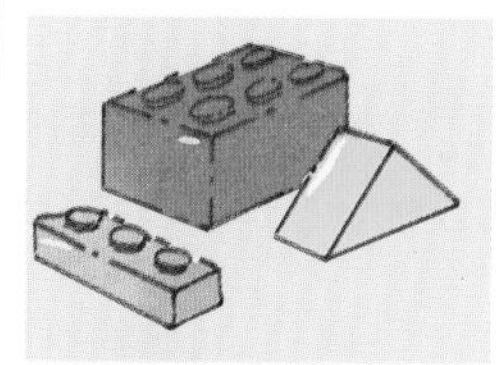
Lego
le Légo

leopard
le léopard

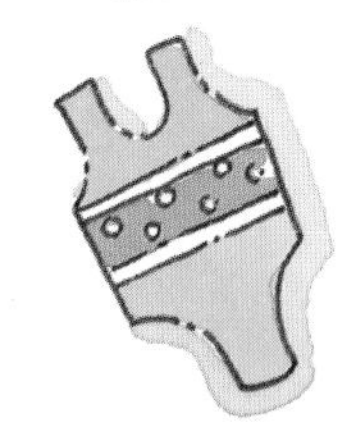
leotard
le justaucorps

library
la bibliothèque

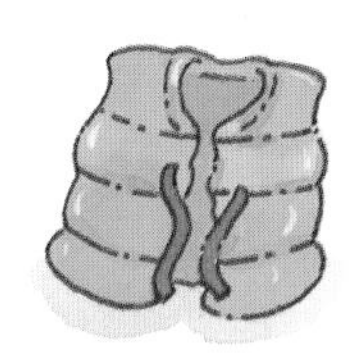
lifejacket
le gilet de sauvetage

light
la lumière

lighthouse
le phare

lion
le lion

lioness
la lionne

lion cub
le lionceau

lizard
le lézard

llama
le lama

loader
le chargeur

lobster
le homard

long
long/longue

loudspeaker
le haut-parleur

Mm

magazine
le magazine

magic wand
la baguette magique

magician
le magicien

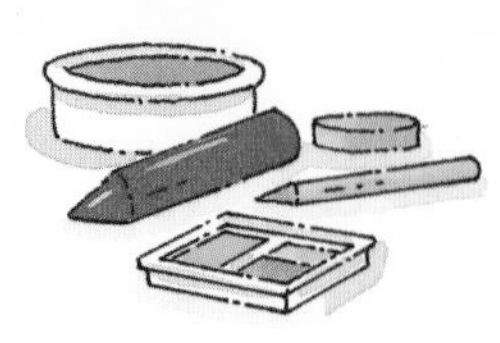
make-up
le maquillage

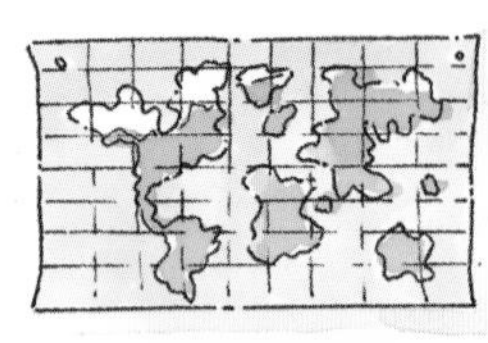
map
la carte

mantlepiece
le dessus de cheminée

marble
la bille

margarine
la margarine

mast
le mât

mince
la viande hachée

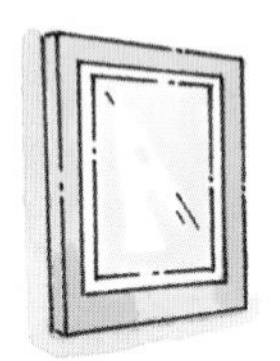
mirror
le miroir

mist
la brume

mitten
la moufle

moat
les douves (f)

monkey
le singe

monster
le monstre

moon
la lune

motor boat
le canot à moteur

motorbike
la moto

motorway
l'autoroute (f)

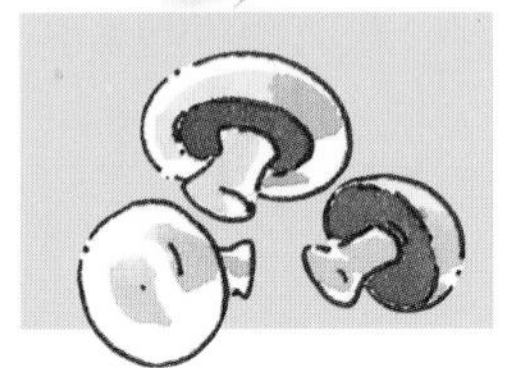
mushroom
le champignon

Nn

nailbrush
la brosse à ongles

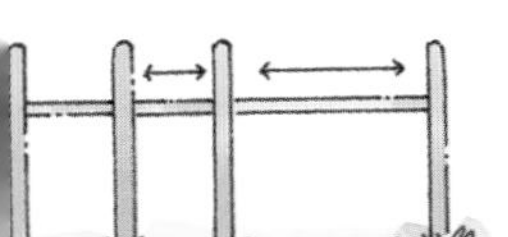

narrow
étroit/étroite

nature table
le coin nature

nest
le nid

nesting box
le nichoir

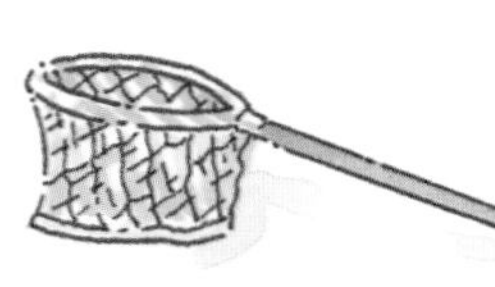

net
l'épuisette (f)

new
neuf/neuve

newspaper
le journal

Noah's ark
l'arche (f) de Noé

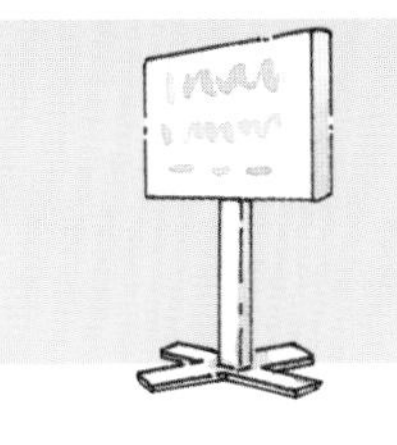

notice
la pancarte

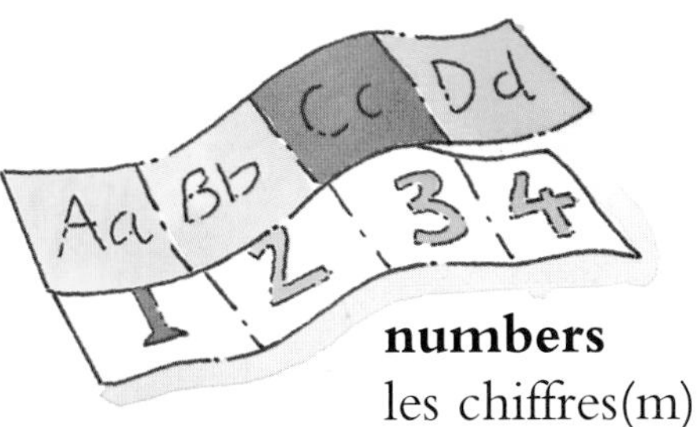

numbers
les chiffres(m)

nurse's outfit
la tenue d'infirmière

Oo

oak tree
le chêne

oar
la rame

octopus
la pieuvre

oil
l'huile (f)

old
vieux/vieille

onion
l'oignon (m)

orange
orange

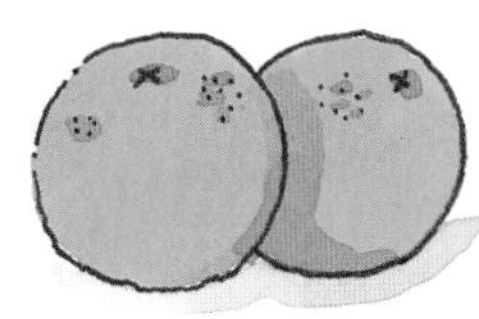

orange
l'orange (f)

orchard
le verger

ostrich
l'autruche (f)

oven
le four

overalls
la combinaison

owl
le hibou

oyster
l'huître (f)

Pp

padlock
le cadenas

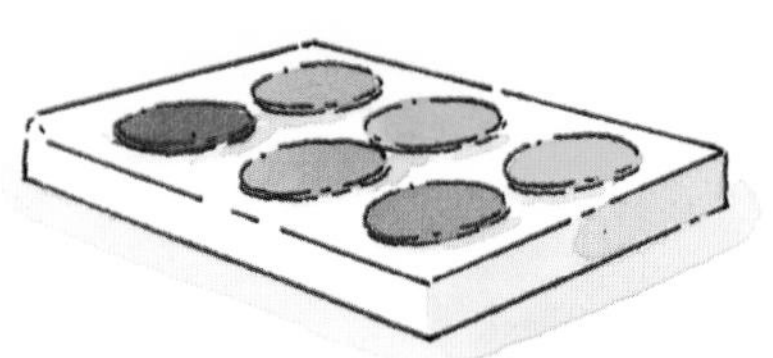

paint
la peinture

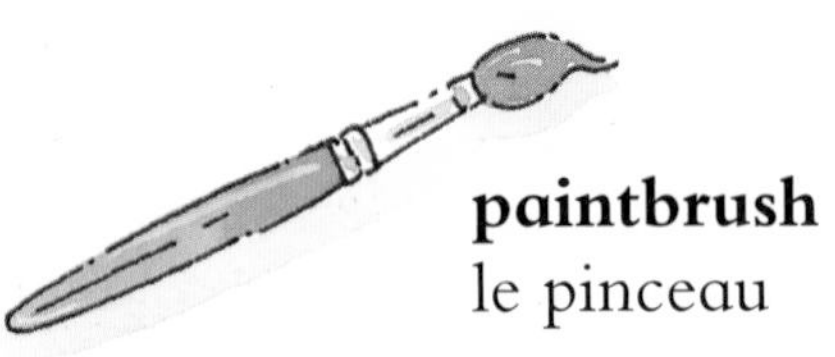

paintbrush
le pinceau

painting
la peinture

pants
le slip

paper chain
la guirlande de papier

paper cup
le gobelet en carton

paper flower
la fleur en papier

paper hat
la couronne en papier

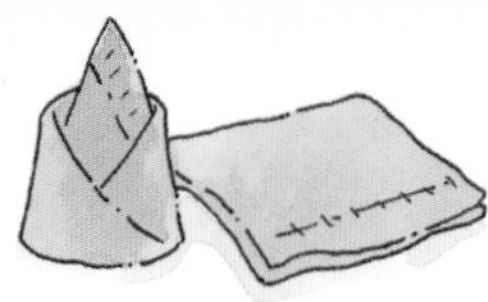

paper napkin
la serviette en papier

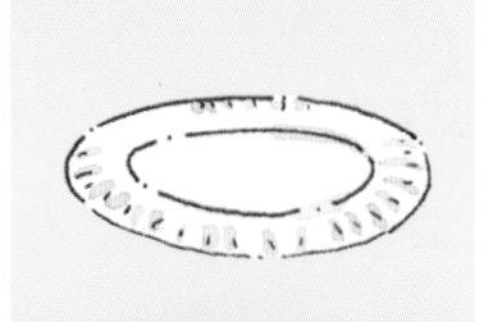

paper plate
l'assiette (f) en carton

parachute
le parachute

parcel
le colis

park keeper
le gardien de parc

parrot
le perroquet

party dress
la robe de fête

party squeaker
le sifflet en papier

paste
la colle

paste brush
la brosse à colle

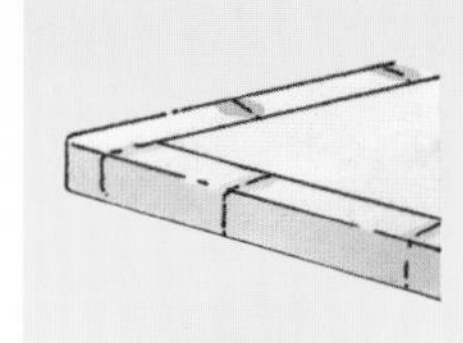

pavement
le trottoir

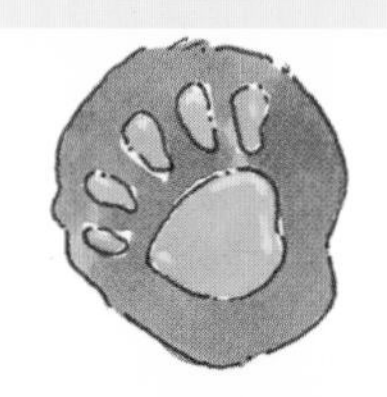

paw
la patte

pea
le petit pois

peanut
la cacahuète

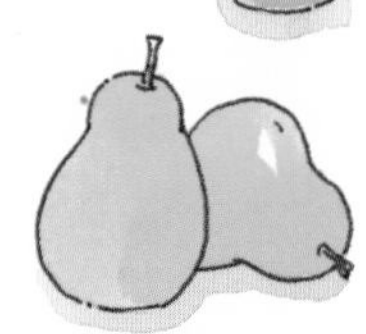

pear
la poire

pebble
le galet

pedal
la pédale

peg
le porte-manteau

pelican
le pélican

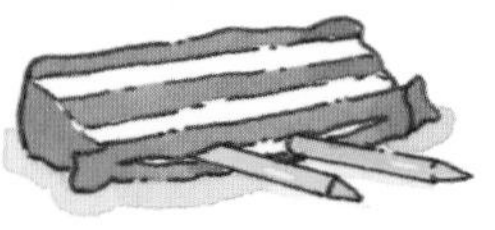

pencil
le crayon

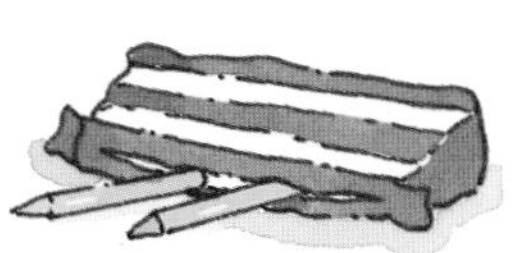
pencil case
la trousse

pepper
le poivre

pet food
la nourriture pour chiens et chats

petrol pump
la pompe à essence

petrol station
la station-service

photograph
la photographie

picnic
le pique-nique

picnic basket
le panier de pique-nique

pier
la jetée

pig
le cochon

pigeon
le pigeon

piglet
le porcelet

pig sty
la porcherie

pillow
l'oreiller (m)

pinafore dress
la robe-chasuble

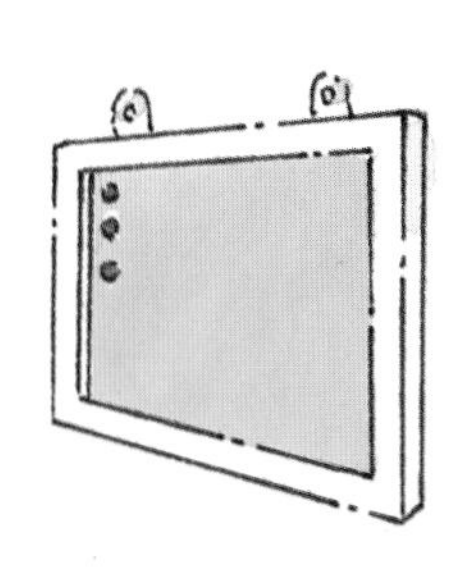
pinboard
le panneau d'affichage

pink
rose

pirate
le pirate

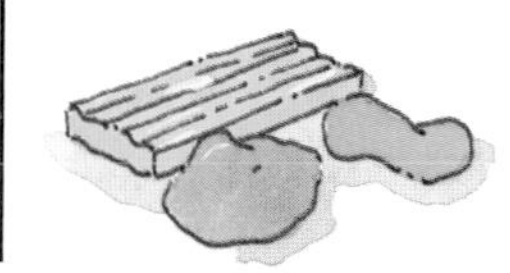
Plasticine
la pâte à modeler

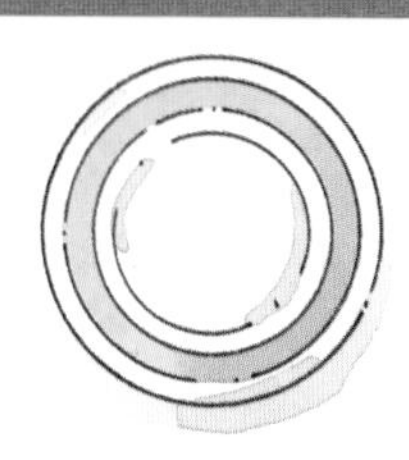
plate
l'assiette (f)

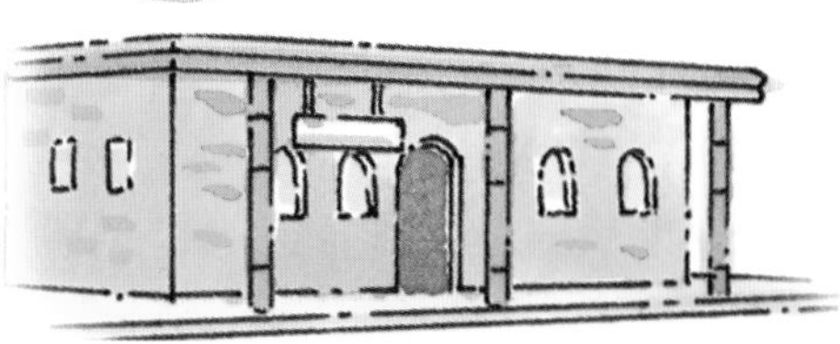
platform
le quai

playground
l'aire de jeu (f)

plimsoll
la chaussure en toile

plug
la bonde

plum
la prune

plume
le panache

pneumatic drill
le marteau pneumatique

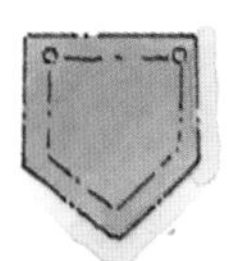
pocket
la poche

police officer
l'agent (m) de police

pond
le bassin

postman
postwoman
le facteur

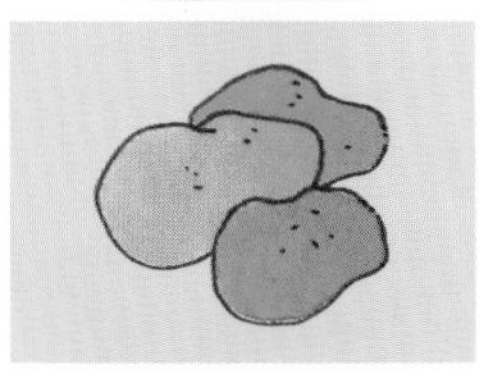

potato
la pomme de terre

pram
le landau

present
le cadeau

primrose
la primevère

prince
le prince

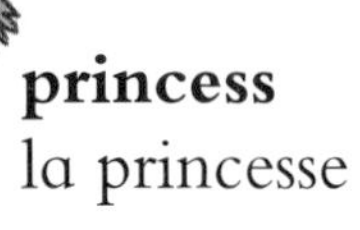

princess
la princesse

puppy
le chiot

purple
violet/violette

pushchair
la poussette

pyjamas
le pyjama

Qq

queen
la reine

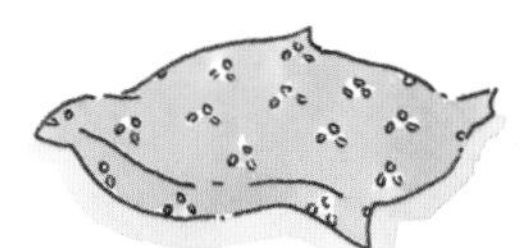

quilt
la couette

Rr

rabbit
le lapin

radiator
le radiateur

radio
la radio

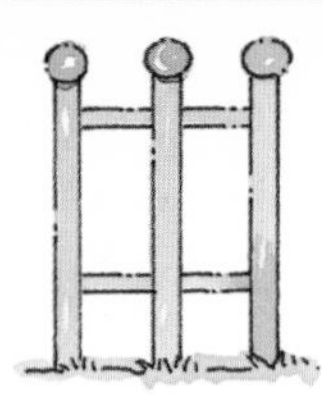

railing
la grille

railway
le chemin de fer

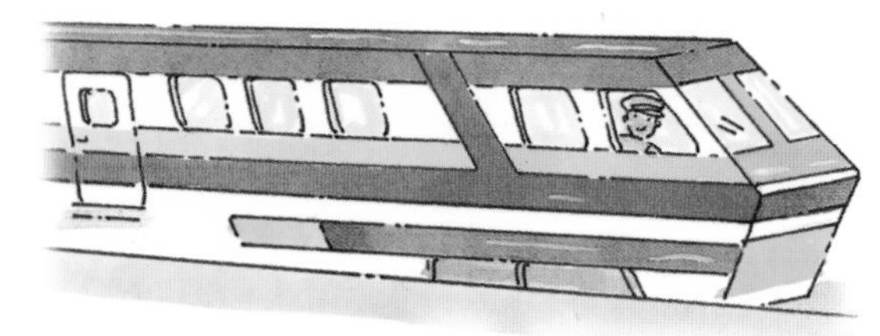

rain shower
l'averse (f)

rainbow
l'arc-en-ciel (m)

rake
le râteau

rattle
le hochet

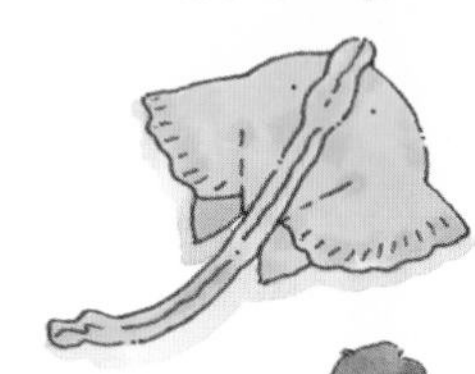

ray fish
la raie

reader
le lecteur (m)
la lectrice (f)

record player
le tourne-disque

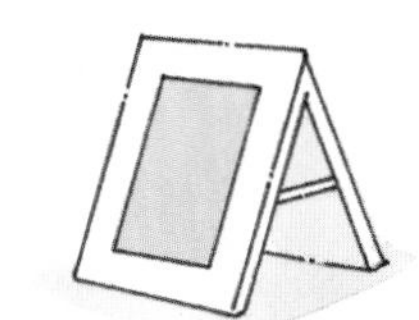

rectangle
le rectangle

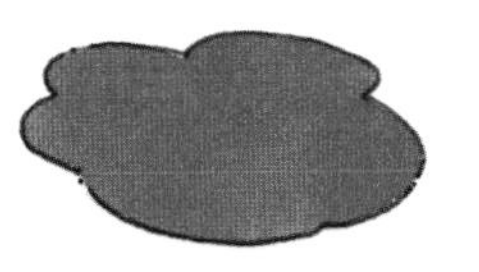
red
rouge

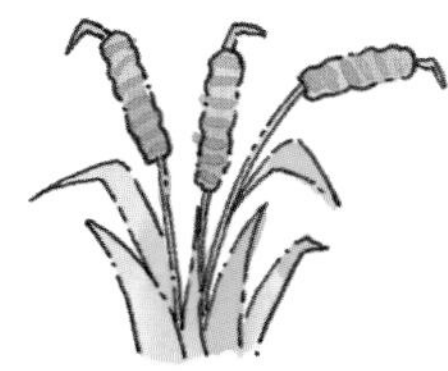
reed
le roseau

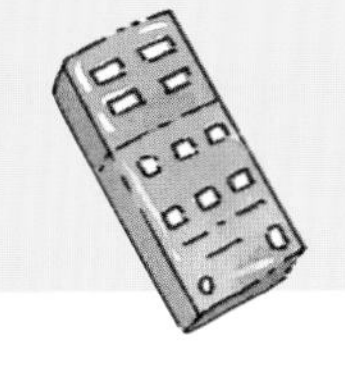
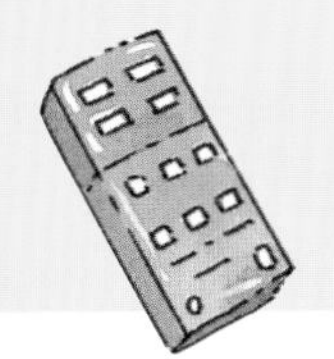
remote control
la télécommande

rhinoceros
le rhinocéros

ribbon
le ruban

rice
le riz

river
la rivière

river bank
la rive

rock garden
le jardin de rocaille

rocking chair
le fauteuil à bascule

roller skates
les patins (m) à roulettes

roof
le toit

rose
la rose

rotor blade
la pale du rotor

roundabout
le manège

rowing boat
la barque

rubber
la gomme

rubbish bin
la poubelle

rug
la carpette

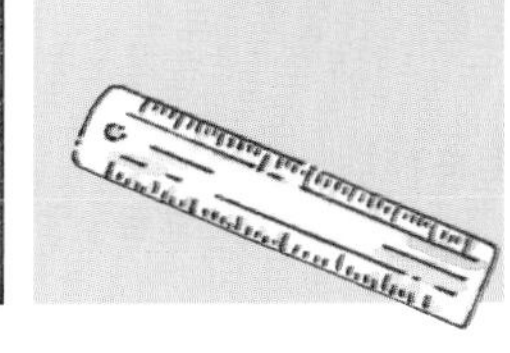
ruler
la règle

Ss

sad
triste

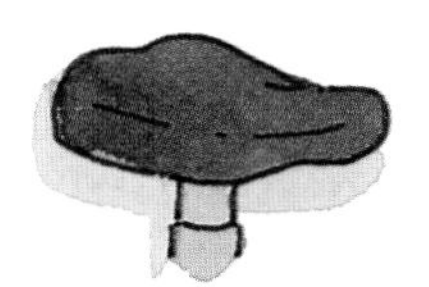
saddle
la selle

safety hat
le casque de sécurité

sail
la voile

sailing boat
le voilier

salt
le sel

sand
le sable

sandal
la sandale

sandcastle
le château de sable

sandpit
le bac à sable

satchel
le cartable

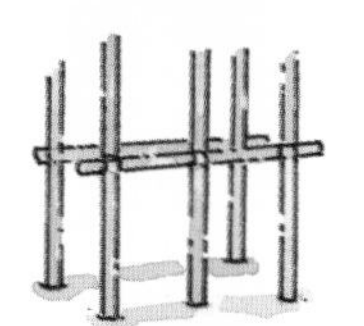
scaffolding
l'échafaudage (m)

scarecrow
l'épouvantail (m)

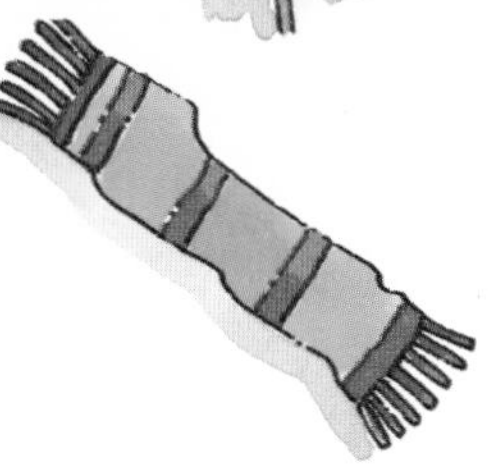
scarf
l'écharpe (f)

scissors
les ciseaux (m)

sea
la mer

sea anemone
l'anémone (f)
de mer

seagull
la mouette

seahorse
l'hippocampe (m)

seal
le phoque

seaweed
les algues (f)

seesaw
la balançoire

settee
le canapé

shampoo
le shampooing

shark
le requin

shed
la cabane

sheep
le mouton

sheepdog
le chien de berger

sheet
le drap

shell
le coquillage

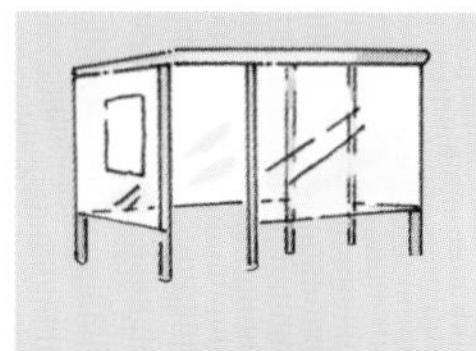
shelter
l'abri (m)

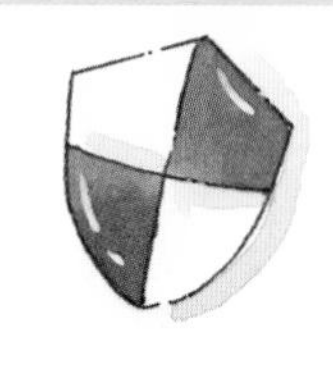
shield
le bouclier

shirt
la chemise

shoal
le banc de poissons

shoe
la chaussure

shop
le magasin

short
court/courte

short
petit/petite

shower
la douche

shower cap
le bonnet de douche

shower curtain
le rideau de douche

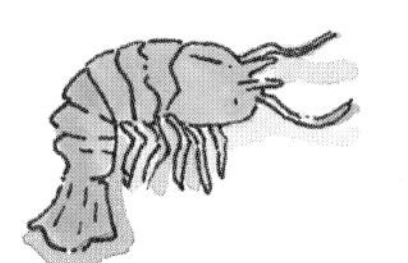
shrimp
la crevette

shrub
l'arbuste (m)

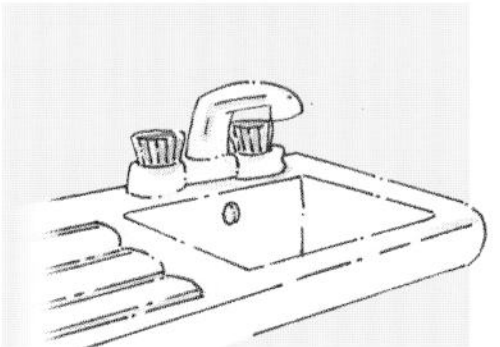
sink
l'évier (m)

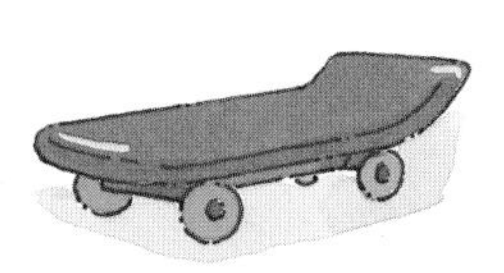
skateboard
le skate-board

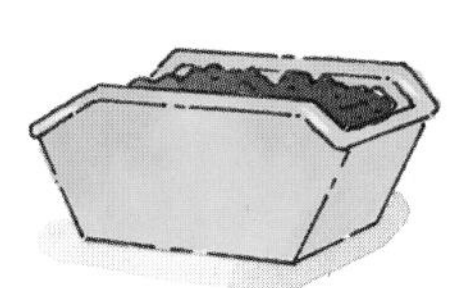
skip
la benne

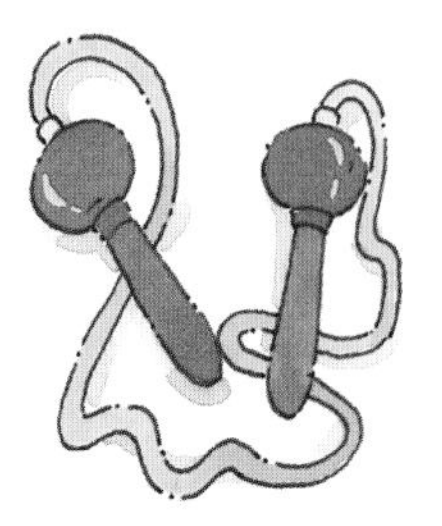
skipping rope
la corde à sauter

skirt
la jupe

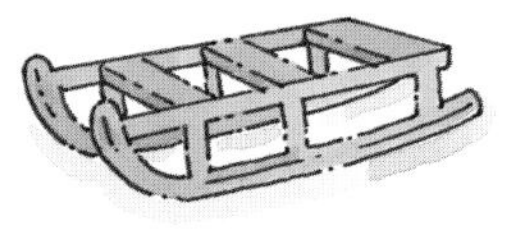
sledge
la luge

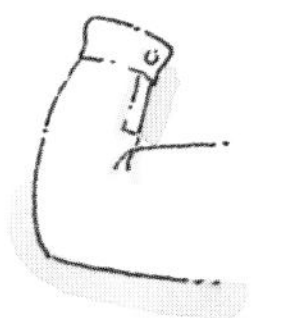
sleeve
la manche

slide
le toboggan

slipper
la pantoufle

slope
la pente

snake
le serpent

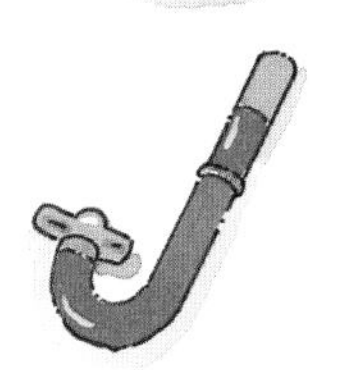
snorkel
le tuba

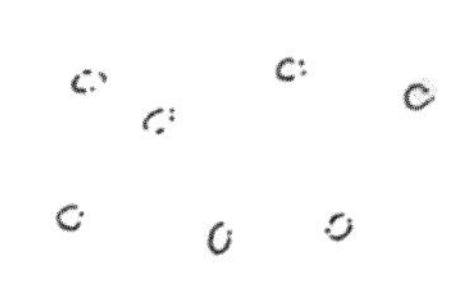
snow
la neige

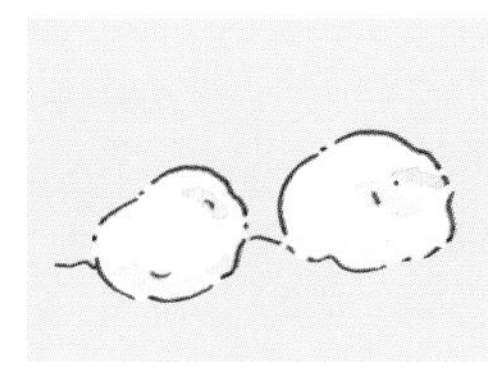
snowball
la boule de neige

snowflake
le flocon de neige

snowman
le bonhomme
de neige

soap
le savon

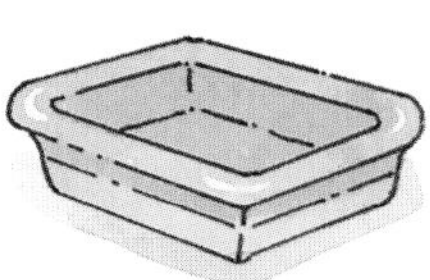
soap dish
le porte-savon

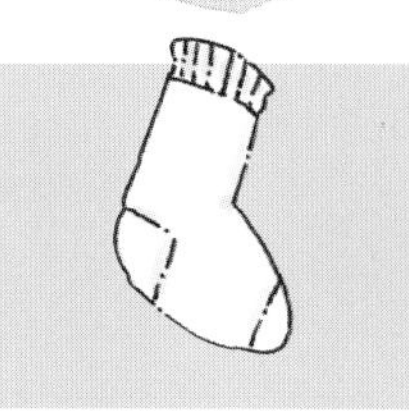
sock
la chaussette

soft
mou/molle

soup
la soupe

spacecraft
le vaisseau spatial

spade
la pelle

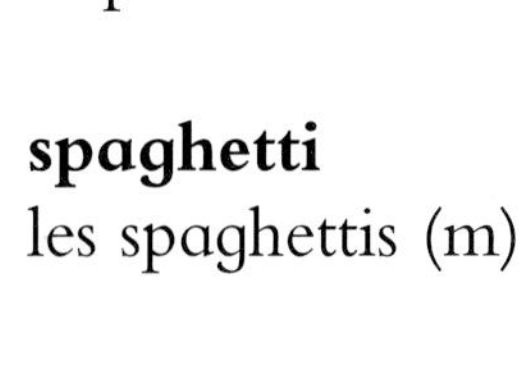
spaghetti
les spaghettis (m)

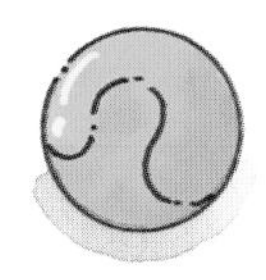
sphere
la sphère

spice
l'épice (f)

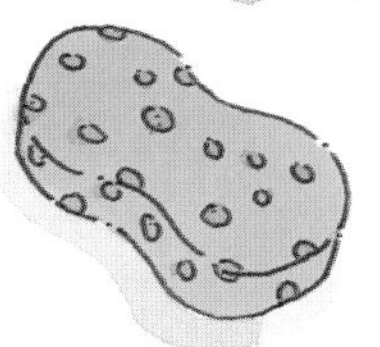
sponge
l'éponge (f)

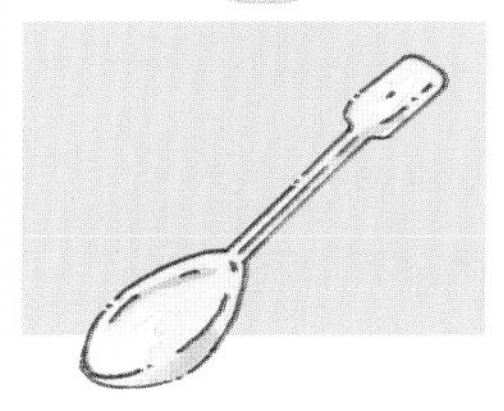
spoon
la cuillère

spring
le printemps

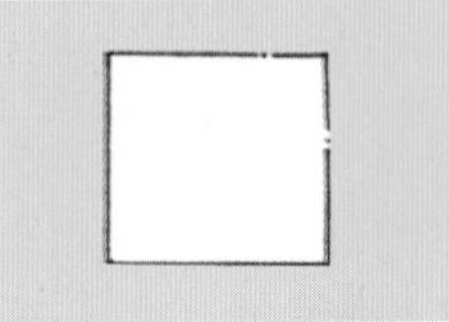

square
le carré

squash
le sirop

squirrel
l'écureuil (m)

stable
l'écurie (f)

star
l'étoile (f)

starfish
l'étoile (f) de mer

station
la gare

steamroller
le rouleau

steering wheel
le volant

step
la marche

stethoscope
le stéthoscope

stool
le tabouret

straw
la paille

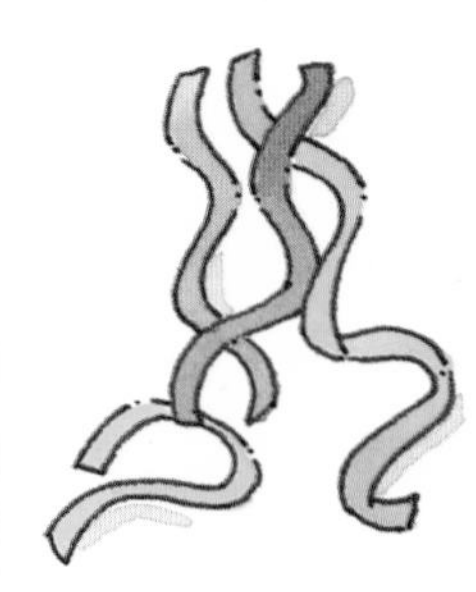

streamer
le serpentin

sucker
la ventouse

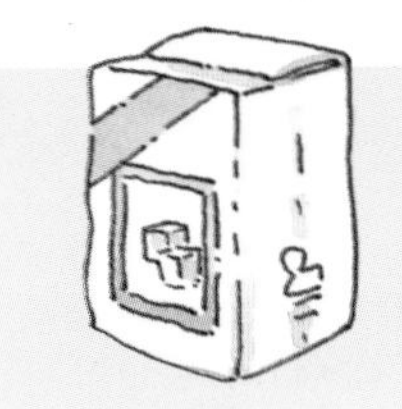

sugar
le sucre

summer
l'été (m)

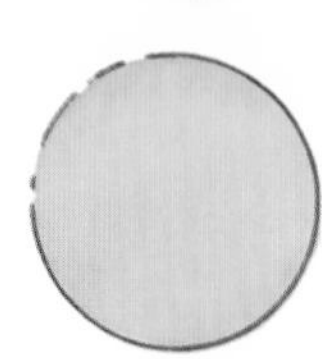

sun
le soleil

suntan lotion
le lait solaire

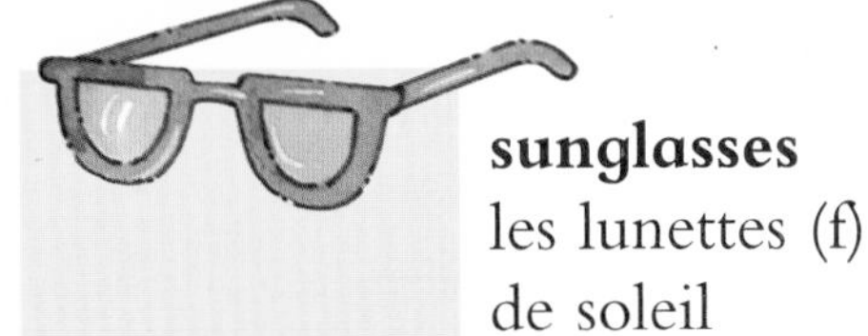

sunglasses
les lunettes (f)
de soleil

supermarket
le supermarché

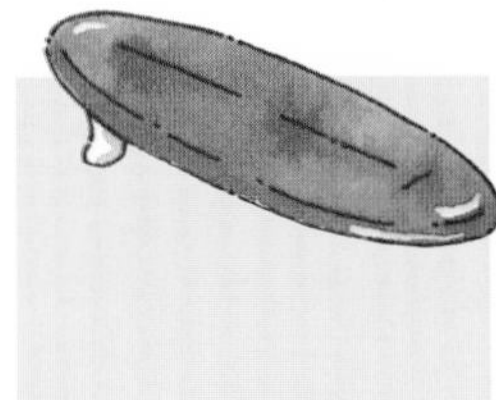

surfboard
la planche de surf

sweatshirt
le sweat-shirt

sword
l'épée (f)

swordfish
l'espadon (m)

Tt

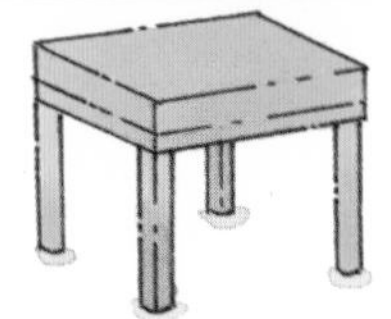

table
la table

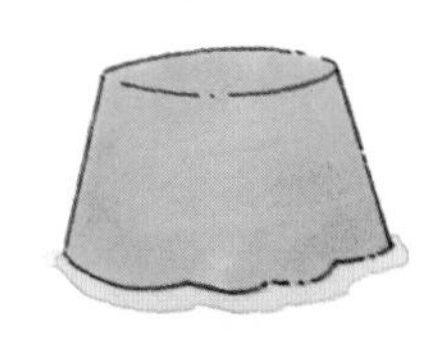

tablecloth
la nappe

tail
la queue

tall
grand/grande

tap
le robinet

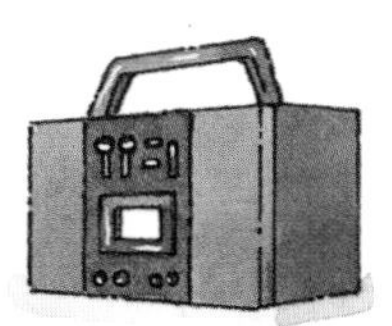
tape recorder
le magnétophone

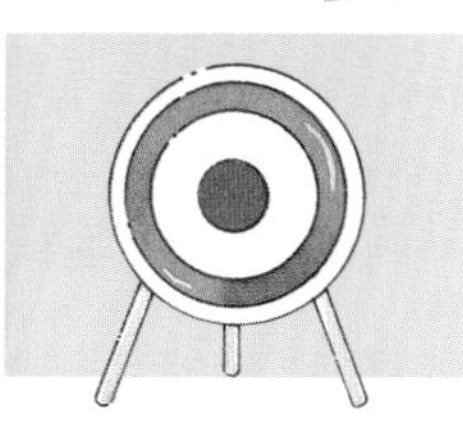
target
la cible

tarmac
le goudron

taxi
le taxi
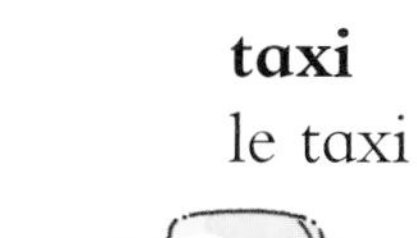

teacher
l'instituteur (m)
l'institutrice (f)

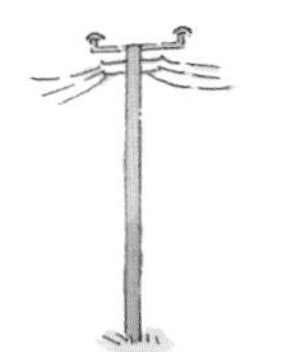
telegraph pole
le poteau
télégraphique

telephone
le téléphone

television
la télévision

tennis ball
la balle de tennis

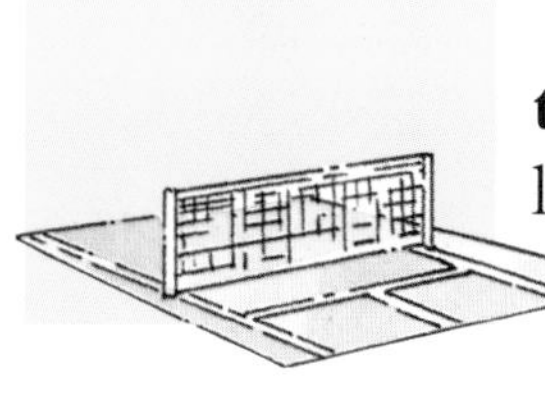
tennis court
le court de tennis

tent
la tente
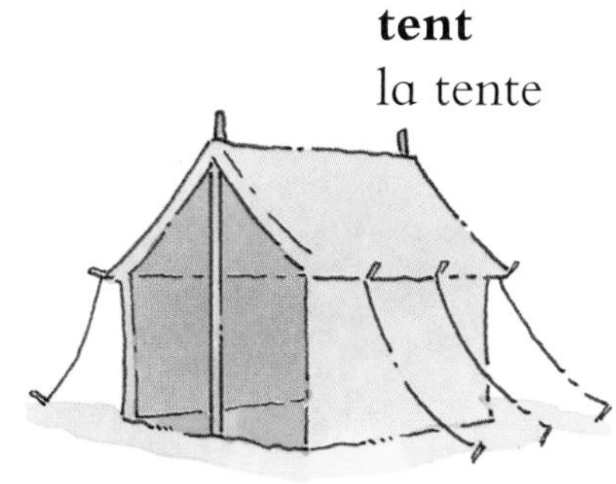

tentacle
la tentacule

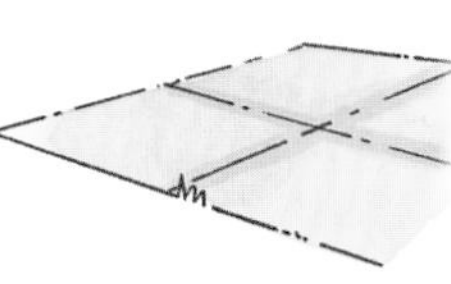
terrace
l'allée (f)

Thermos flask
le Thermos

thin
mince

ticket
le billet

tiger
le tigre

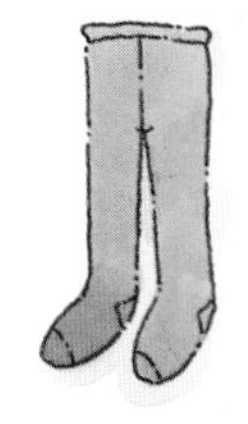
tights
le collant

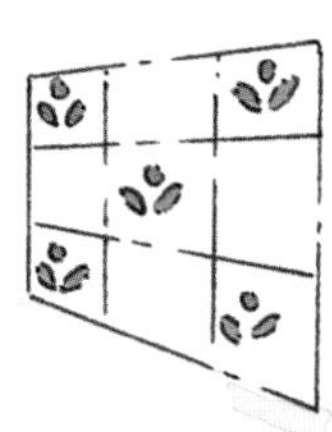
tile
le carrelage

tipper truck
le camion-benne

toadstool
le champignon
vénéneux

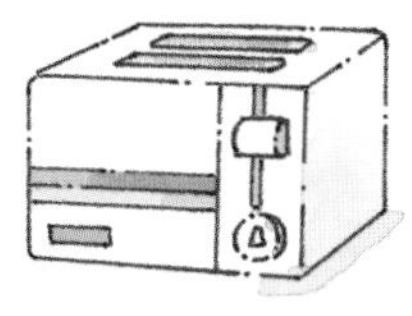
toaster
le grille-pain

toilet
les toilettes (f)

toilet paper
le papier hygiénique

toilet seat
la lunette

tomato
la tomate

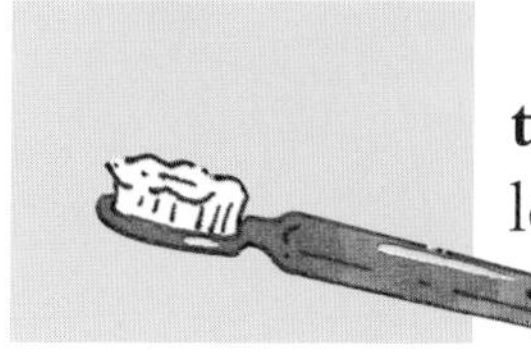
toothbrush
la brosse à dents

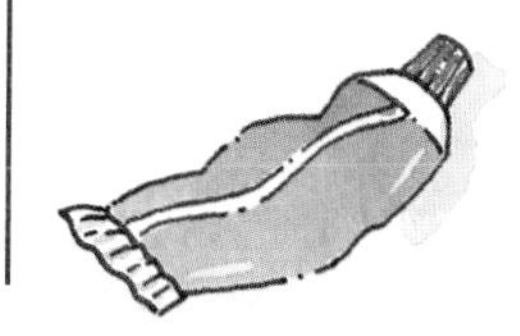
toothpaste
le dentifrice

top
le sommet

top hat
le chapeau haut-de-forme

torch
la torche

tortoise
la tortue

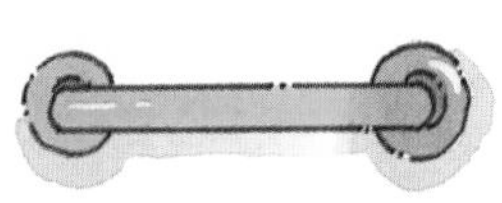

towel rail
le porte-serviette

tower block
la tour

town hall
l'hôtel (m) de ville

toy boat
le petit bateau

toy box
le coffre à jouets

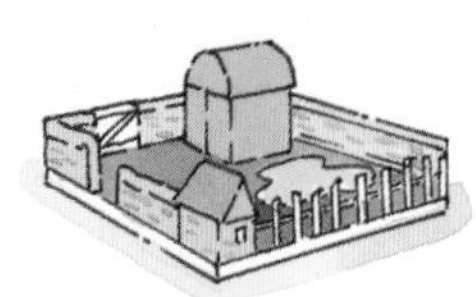

toy farm
la ferme miniature

toy shop
le magasin de jouets

tractor
le tracteur

traffic lights
les feux (m)

traffic warden
le contractuel (m)
la contractuelle (f)

trailer
la remorque

train
le train

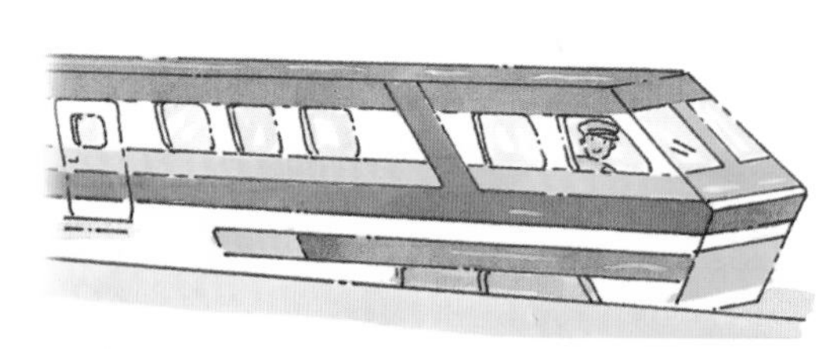

train set
le petit train

trainers
les tennis (f)

treasure
le trésor

tree stump
la souche d'arbre

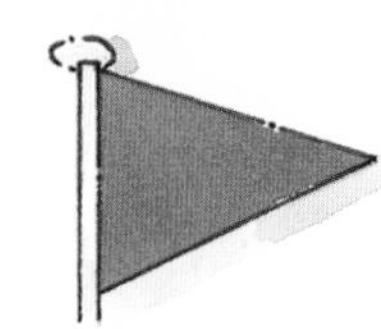

triangle
le triangle

tricycle
le tricycle

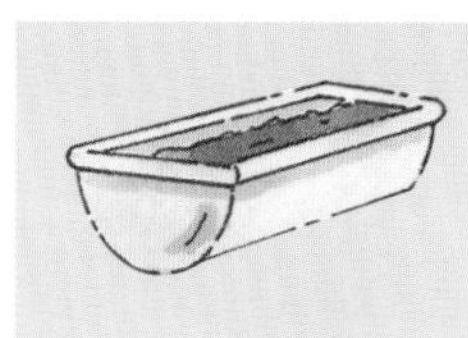

trough
l'auge (f)

trowel
le déplantoir

truck
le camion

T-shirt
le T-shirt

trunk
la trompe

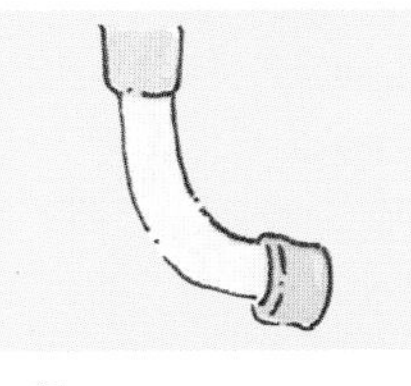

tube
le tube

tunnel
le tunnel

turtle
la tortue marine

tusk
la défense

tyre
le pneu

Uu

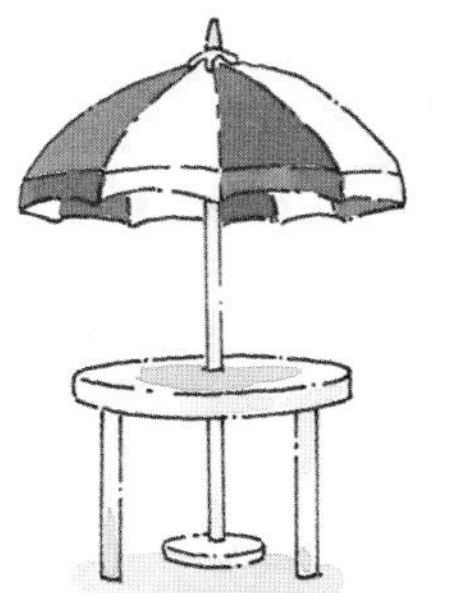

umbrella
le parasol

unicorn
la licorne

up
en haut

Vv

van
le camion

vase
le vase

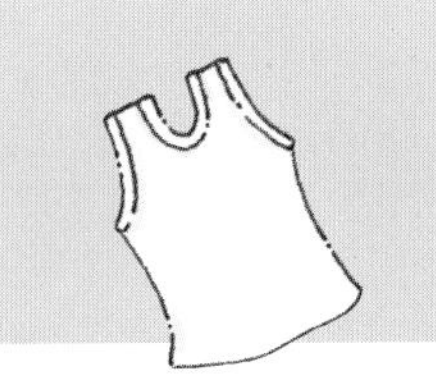

vest
le maillot de corps

video recorder
le magnétoscope

vinegar
le vinaigre

Ww

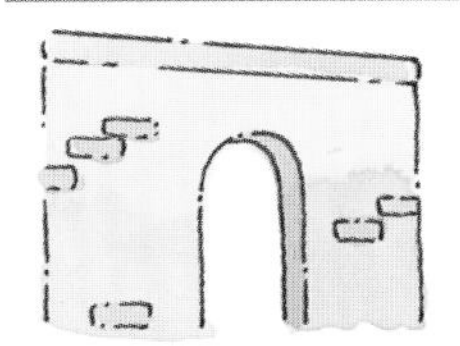

wall
le mur

walrus
le morse

wardrobe
l'armoire (f)

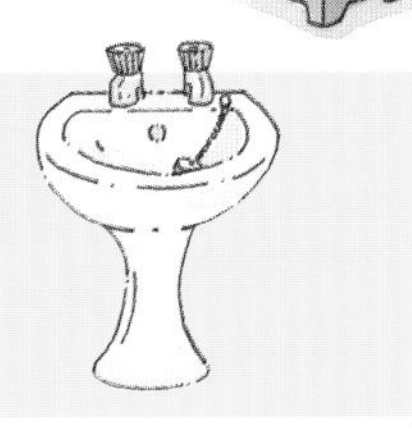

washbasin
le lavabo

washing machine
la machine à laver

wastepaper bin
la corbeille à papier

watch
la montre

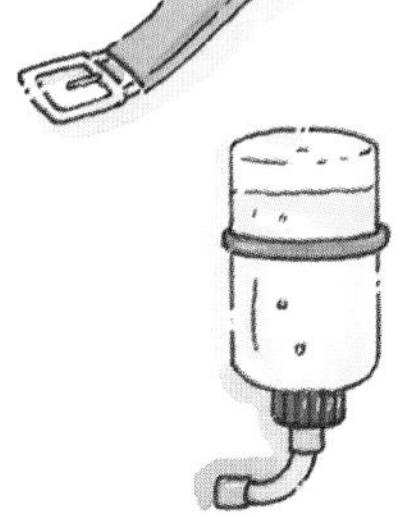

water bottle
la gourde

waterfall
la chute d'eau

waterlily
le nénuphar

wave
la vague

weed
la mauvaise herbe

wet suit
la combinaison de plongée

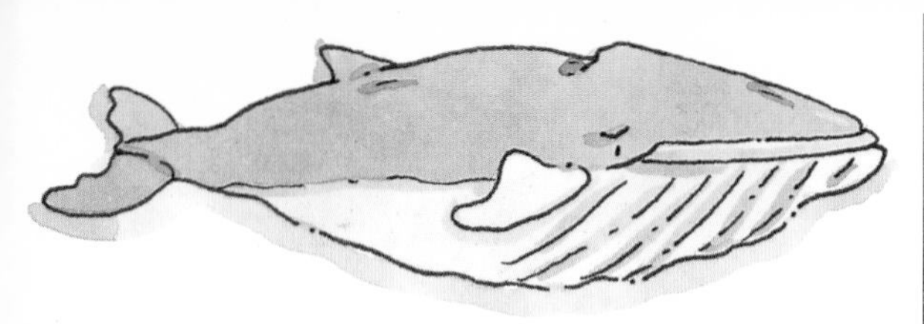

whale
la baleine

wheel
la roue

wheelbarrow
la brouette

wheelchair
le fauteuil roulant

white
blanc/blanche

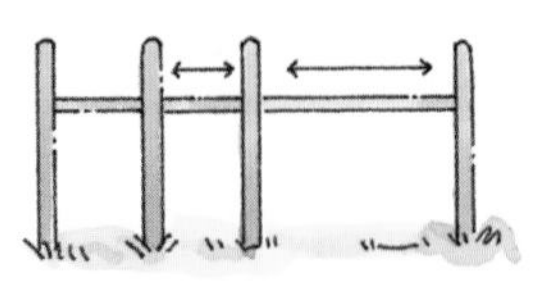

wide
large

wild garden
le jardin sauvage

windbreak
le coupe-vent

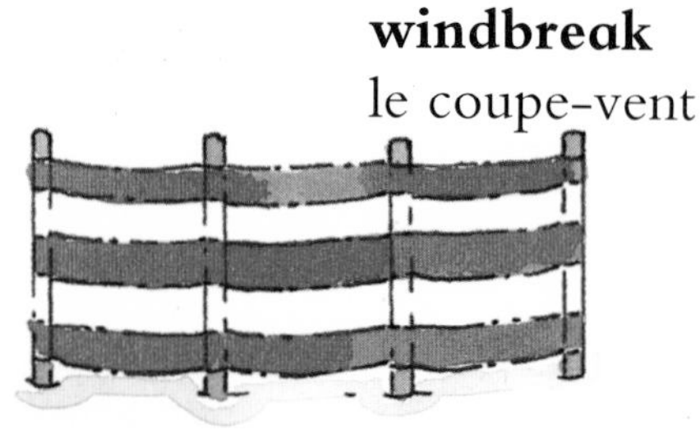

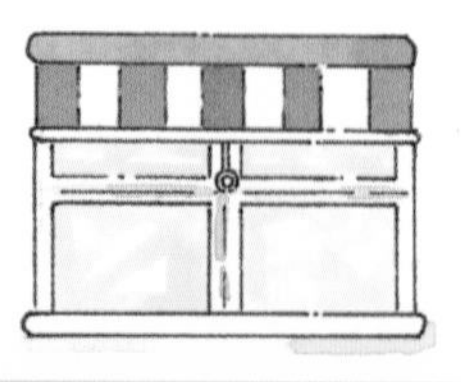

window
la fenêtre

window box
la jardinière

window cleaner
le laveur de vitres

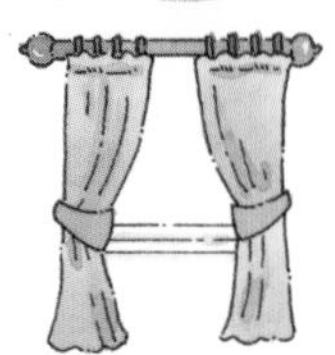

windowsill
le rebord de fenêtre

windscreen
le pare-brise

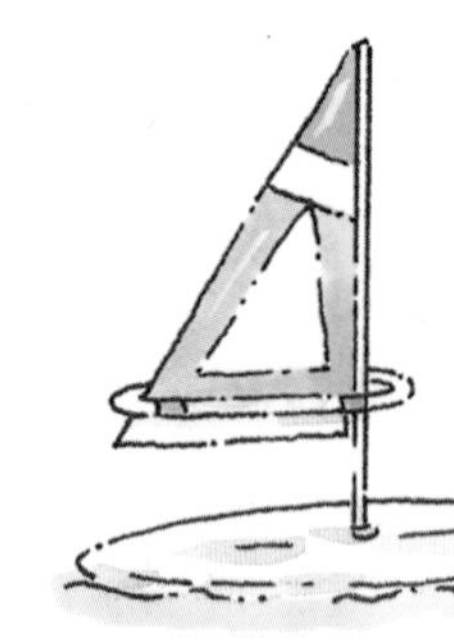

windsurfer
la planche à voile

wing
l'aile (f)

winter
l'hiver (m)

wire netting
le grillage

witch
la sorcière

wizard
le sorcier

worktop
le plan de travail

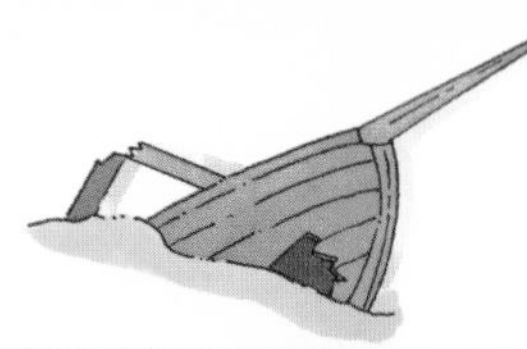

wreck
l'épave (f)

Xx

xylophone
le xylophone

Yy

yacht
le yacht

yellow
jaune

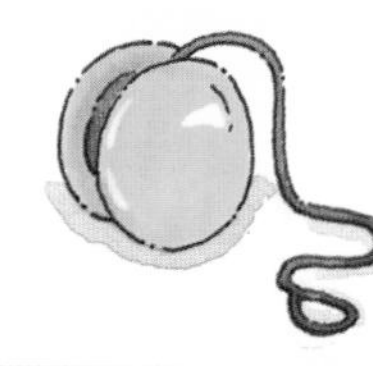

yo-yo
le yo-yo

Zz

zebra
le zèbre

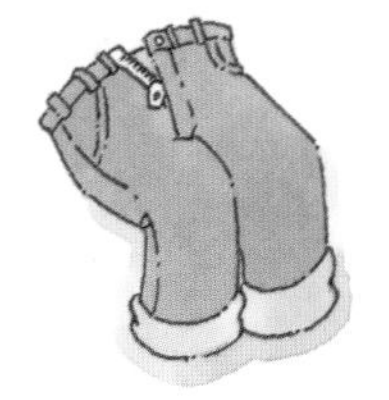

zip
la fermeture Éclair

Picture Dictionary — French - English

Dictionnaire Illustré — Français - Anglais

Aa

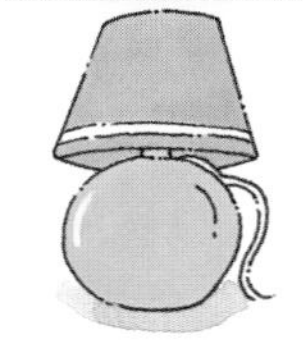

l'abat-jour (m)
lampshade

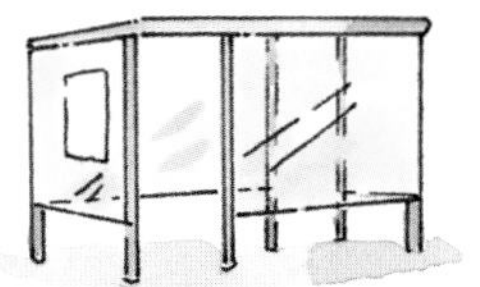

l'abri (m)
shelter

l'aérateur (m)
fan

l'aéroglisseur (m)
hovercraft

l'aéroport (m)
airport

l'agent (m) de police
police officer

l'agneau (m)
lamb

l'ail (m)
garlic

l'aile (f)
wing

l'aire de jeu (f)
playground

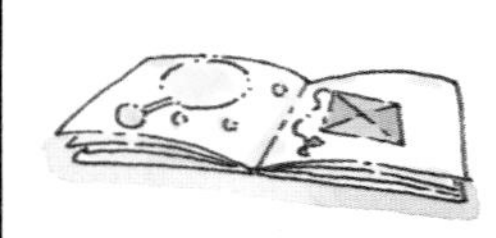

l'album (m) de coloriage
colouring book

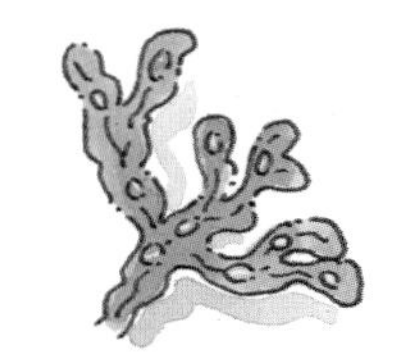

les algues (f)
seaweed

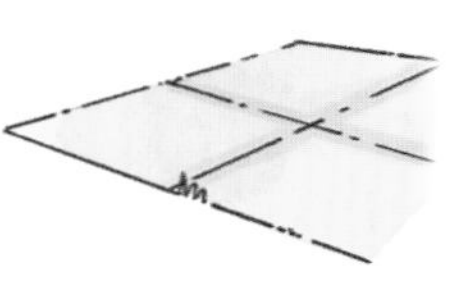

l'allée (f)
terrace

l'alligator (m)
alligator

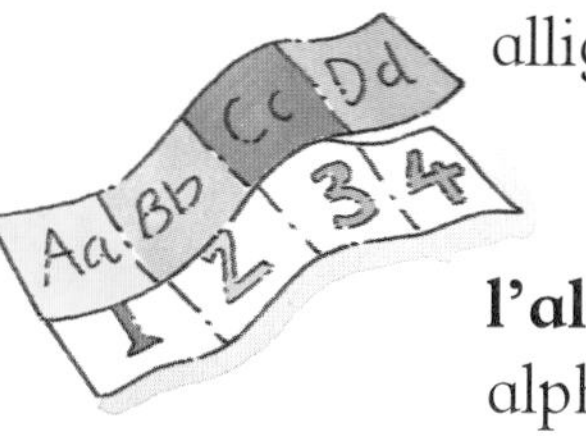

l'alphabet (m)
alphabet

l'ambulance (f)
ambulance

l'anémone (f) de mer
sea anemone

l'anguille (f)
eel

l'anorak (m)
anorak

l'antenne (f)
aerial

l'arbre vert (m)
evergreen tree

l'arbuste (m)
shrub

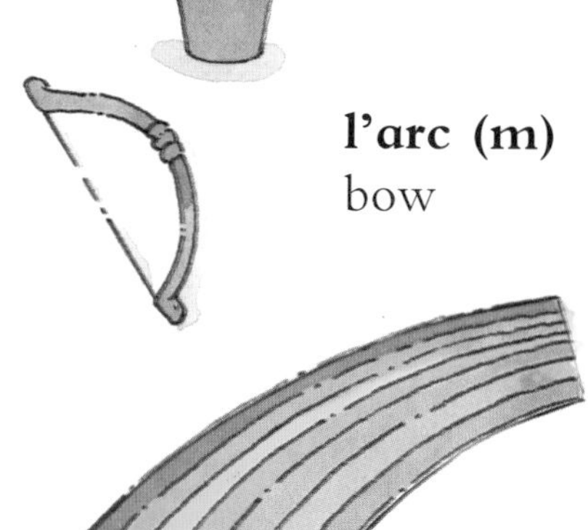

l'arc (m)
bow

l'arc-en-ciel (m)
rainbow

l'arche (f) de Noé
Noah's ark

l'argile (f)
clay

l'armoire (f)
wardrobe

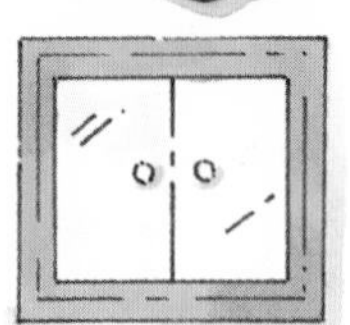

l'armoire (f) à pharmacie
cabinet

l'armure (f)
armour

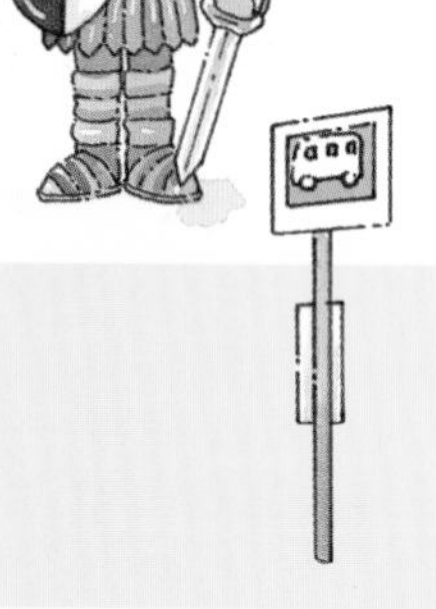

l'arrêt (m) d'autobus
bus stop

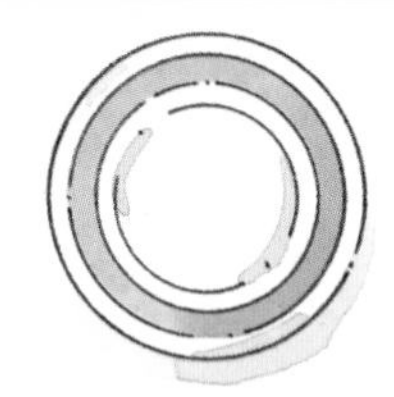

l'assiette (f)
plate

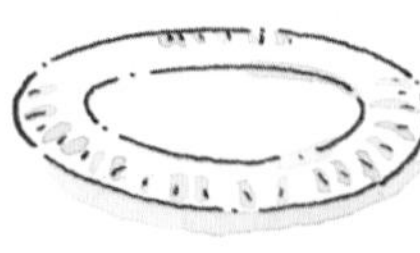

l'assiette (f) en carton
paper plate

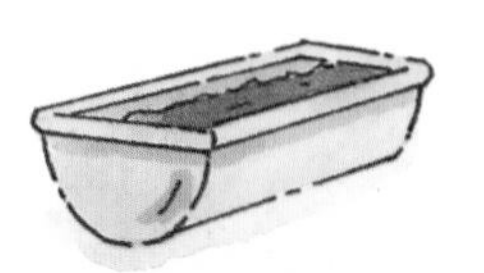

l'auge (f)
trough

l'autobus (m)
bus

l'automne (m)
autumn

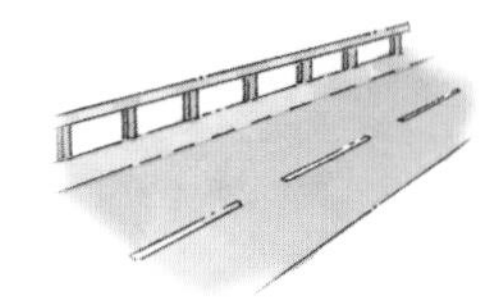

l'autoroute (f)
motorway

l'autruche (f)
ostrich

l'averse (f)
rain shower

l'avion (m)
aeroplane

Bb

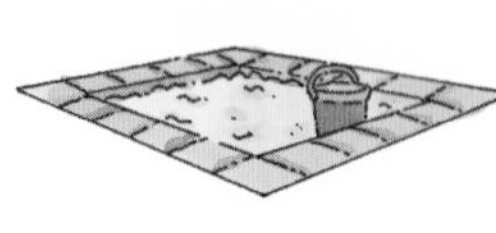

le bac à sable
sandpit

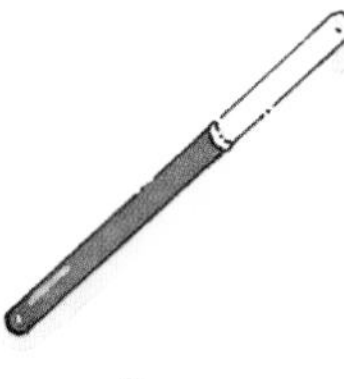

la baguette magique
magic wand

la baie
berry

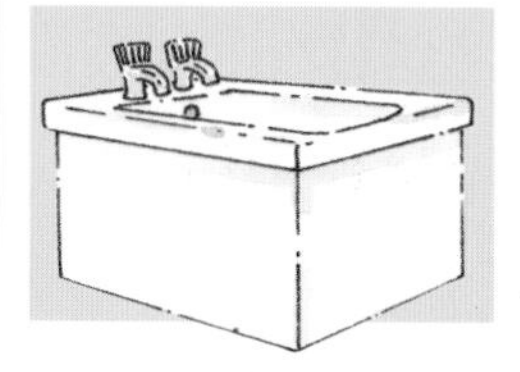

la baignoire
bath

le balai
broom

la balançoire
seesaw

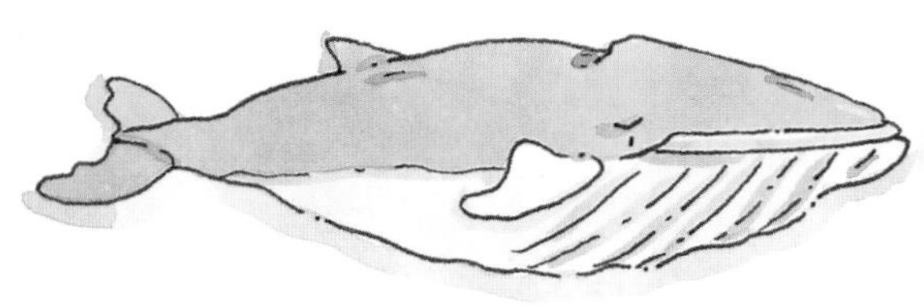

la baleine
whale

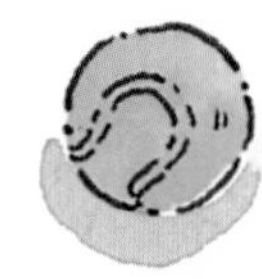

la balle de tennis
tennis ball

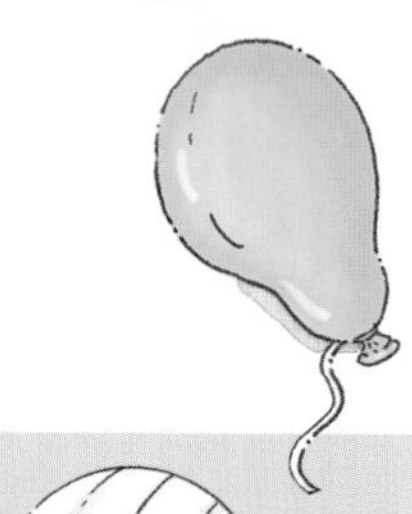

le ballon
balloon

le ballon de football
football

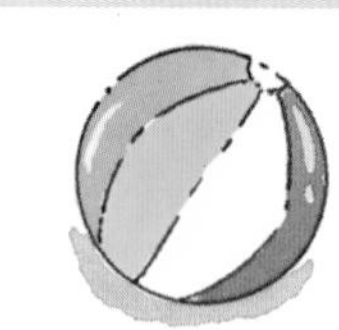

le ballon de plage
beach ball

la banane
banana

le banc
bench

le banc de poissons
shoal

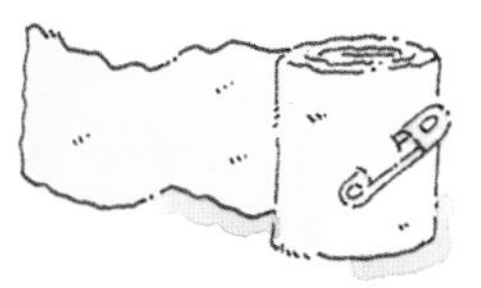

la bande
bandage

la bande dessinée
comic

la banque
bank

la barque
rowing boat

le barreau
bar

la barrière
gate

le bas
bottom

le bassin
pond

le bateau
boat

la batte de base-ball
baseball bat

le bébé
baby

le bec
beak

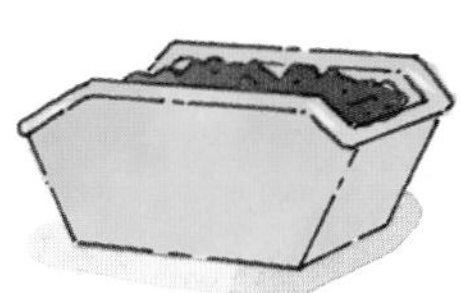

la benne
skip

la bétonnière
cement mixer

le beurre
butter

la bibliothèque
bookcase

la bibliothèque
library

la bille
marble

le billet
ticket

blanc/blanche
white

bleu/bleue
blue

les bois (m)
antlers

le bois enchanté
enchanted wood

la boisson
drink

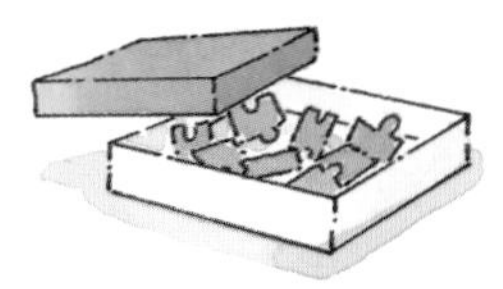

la boîte
box

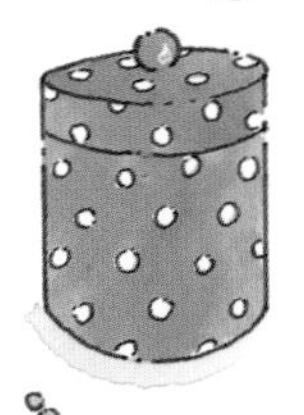

la boîte à biscuits
biscuit tin

la bonde
plug

le bonhomme de neige
snowman

le bonnet de douche
shower cap

la bordure
border

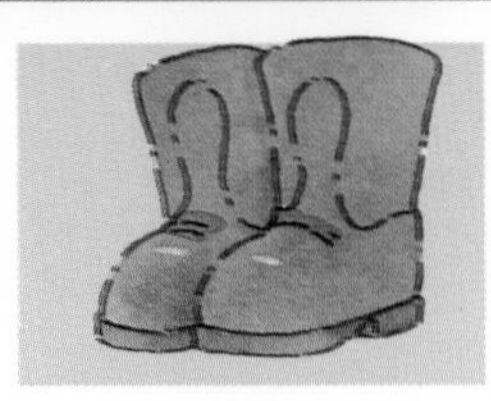

la botte
boot

la boucle
buckle

le bouclier
shield

le bouffon
jester

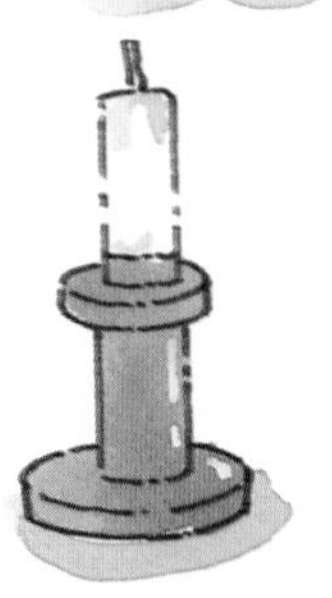

le bougeoir
candlestick

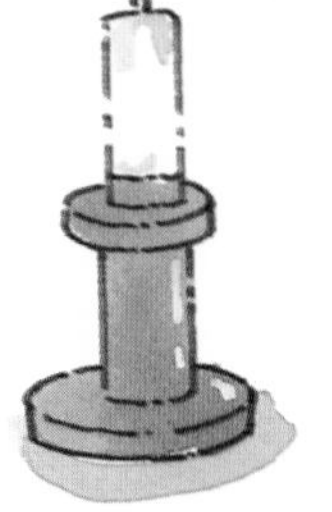

la bougie
candle

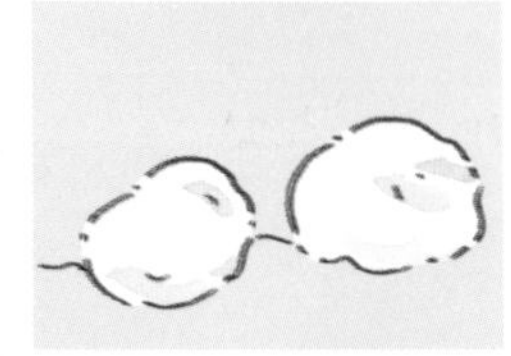

la boule de neige
snowball

le bourgeon
bud

le bouton
button

la boutonnière
buttonhole

la branche
branch

le brassard de sauvetage
armband

les bretelles (f)
braces

la brique
brick

la brosse à colle
paste brush

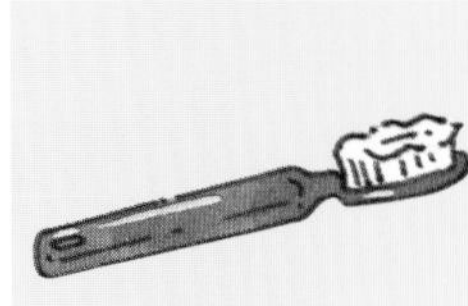

la brosse à dents
toothbrush

la brosse à ongles
nailbrush

la brouette
wheelbarrow

la brume
mist

le buisson
bush

le bulldozer
bulldozer

le bureau
desk

Cc

la cabane
shed

la cacahuète
peanut

le cache-oreilles
ear muffs

le cadeau
present

le cadenas
padlock

le café
café

le café
coffee

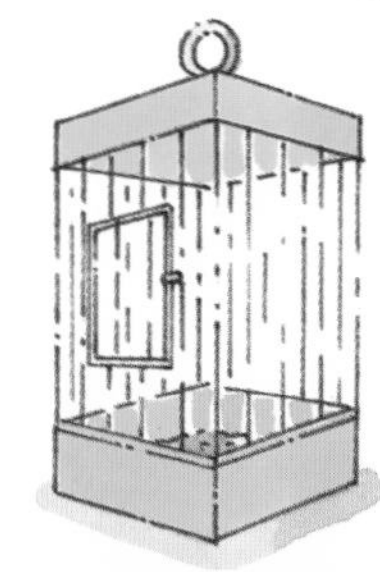

la cage
cage

la cage à poules
climbing frame

Aa Bb Cc Dd Ee Ff Gg Hh Ii Jj Kk Ll Mm Nn Oo Pp Qq Rr Ss Tt Uu Vv Ww Xx Yy Zz

la cage du hamster
hamster house

le camion
van

le camion
truck

le camion malaxeur
concrete mixer

le camion-benne
tipper truck

le canal
canal

le canapé
settee

le canard
duck

le caneton
duckling

le canoë
canoe

le canon
cannon

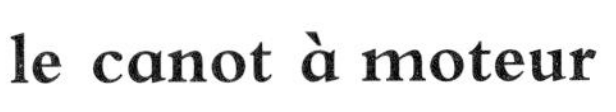

le canot à moteur
motor boat

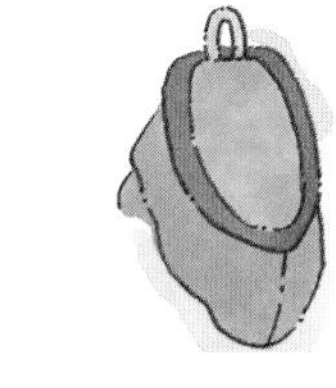

le capuchon
hood

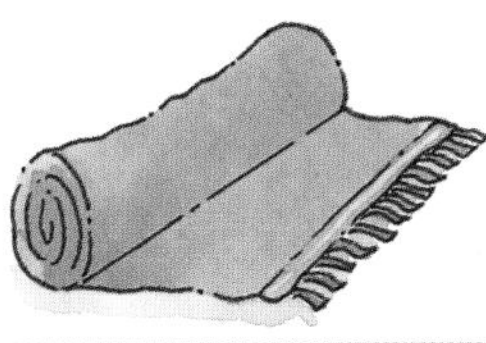

la carpette
rug

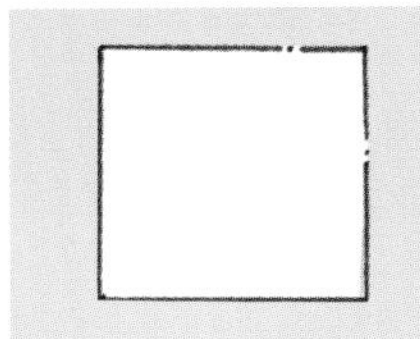

le carré
square

le carrelage
floor tile

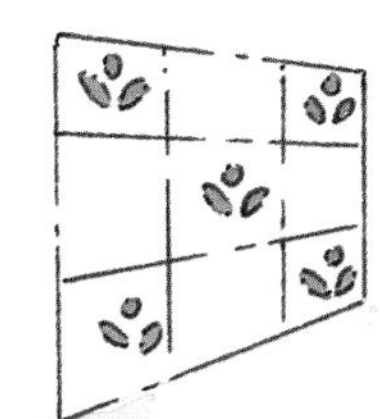

le carrelage
tile

le cartable
satchel

la carte
card

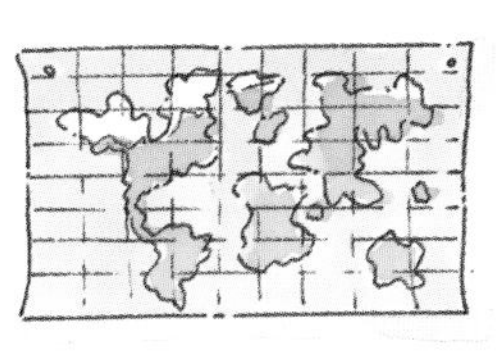

la carte
map

le casque
helmet

le casque de sécurité
safety hat

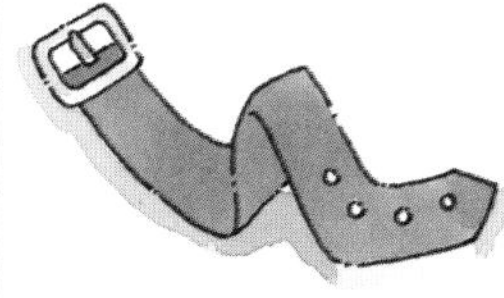

la ceinture
belt

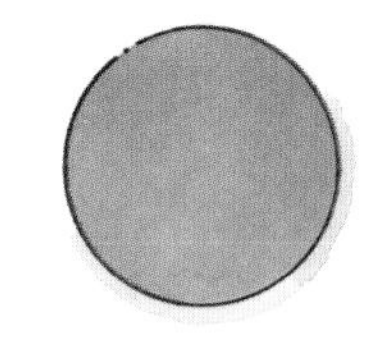

le cercle
circle

les céréales (f)
cereal

le cerf
deer

le cerf-volant
kite

la chaise longue
deckchair

le chameau
camel

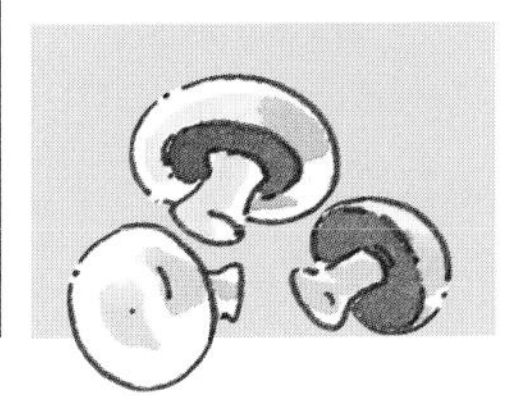

le champignon
mushroom

le champignon vénéneux
toadstool

le chapeau
hat

le chapeau haut-de-forme
top hat

le chargeur
loader

le charpentier
carpenter

le château
castle

le château de sable
sandcastle

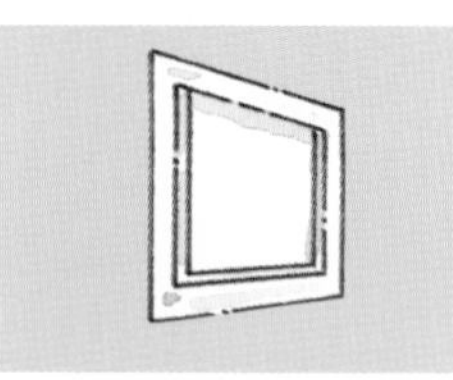

la chatière
cat flap

le chaton
kitten

le chaudron
cauldron

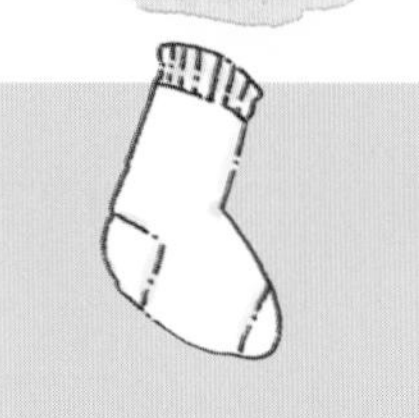

la chaussette
sock

la chaussure
shoe

la chaussure en toile
plimsoll

le chef de gare
guard

le chemin de fer
railway

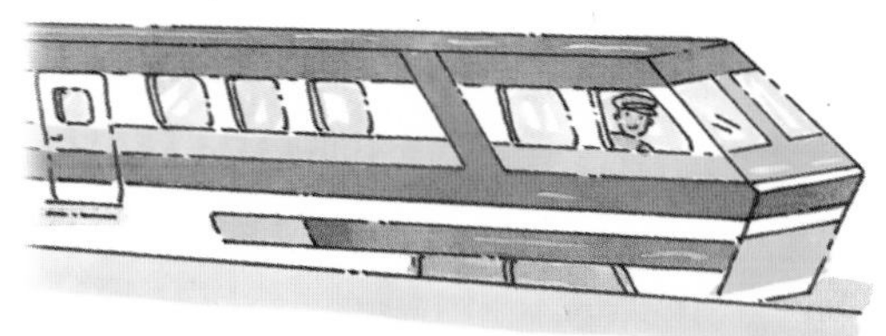

la cheminée
fireplace

la chemise
shirt

le chêne
oak tree

le cheval
horse

le chevalier
knight

la chèvre
goat

le chien de berger
sheepdog

les chiffres(m)
numbers

le chiot
puppy

les chips (f)
crisps

le chou-fleur
cauliflower

la chute d'eau
waterfall

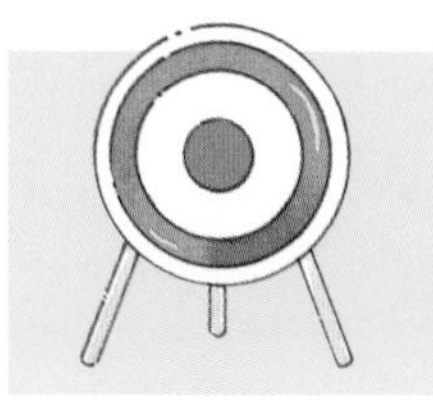

la cible
target

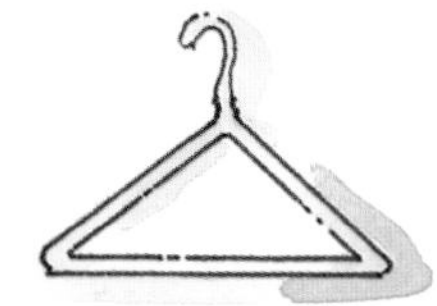

le cintre
hanger

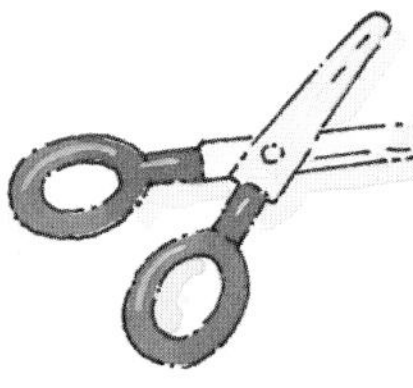
les ciseaux (m)
scissors

le clapier
hutch

le clown
clown

le cochon
pig

le cochon d'Inde
guinea pig

le coffre à jouets
toy box

le coin nature
nature table

le col
collar

le colis
parcel

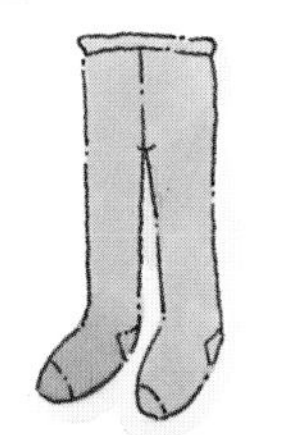
le collant
tights

la colle
paste

la combinaison
overalls

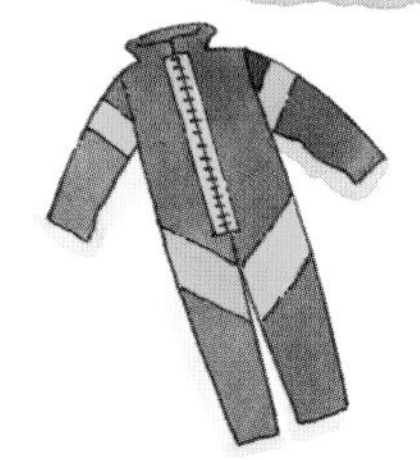
la combinaison de plongée
wet suit

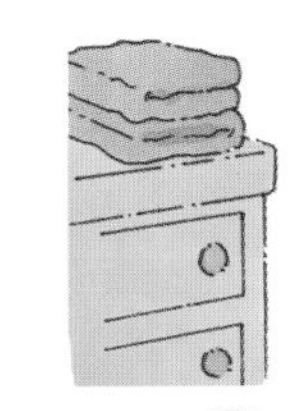
la commode
chest of drawers

le compresseur
compressor

le concombre
cucumber

le conducteur
driver

le conducteur d'autobus
bus driver

la confiture
jam

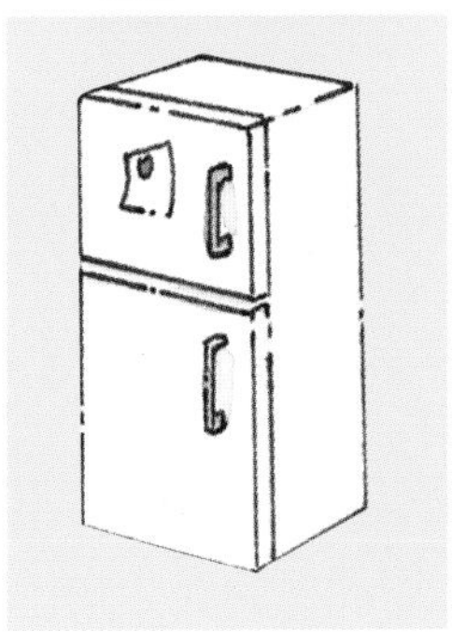
le congélateur
freezer

le contractuel (m)
la contractuelle (f)
traffic warden

le coquillage
shell

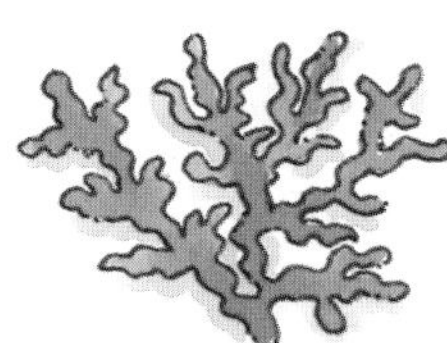
le corail
coral

la corbeille à papier
wastepaper bin

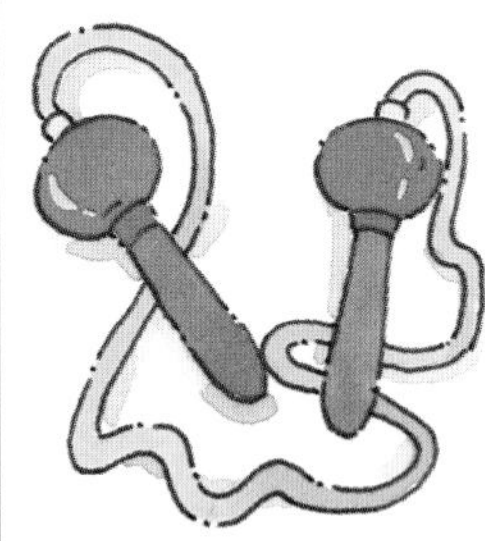
la corde à sauter
skipping rope

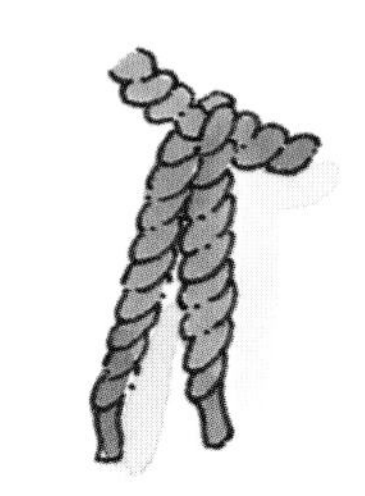
le cordon
cord

la corne
horn

le coton
cotton wool

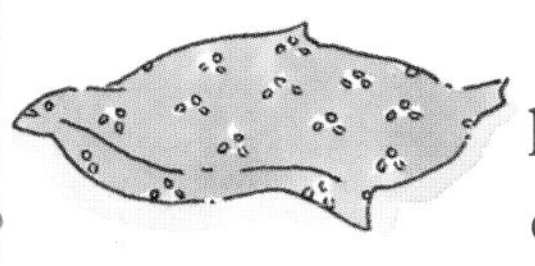
la couette
quilt

le coupe-vent
windbreak

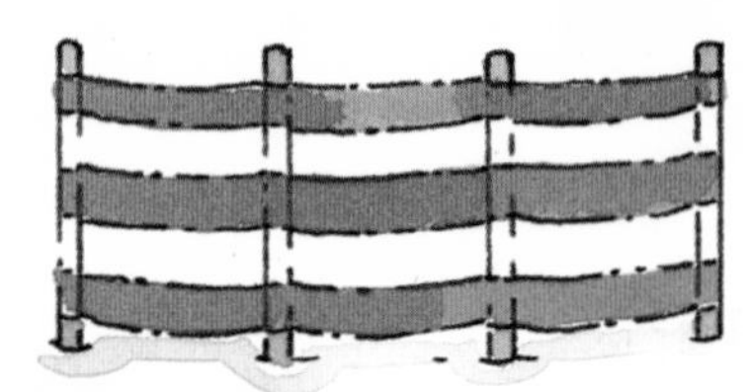

la cour de ferme
farmyard

la couronne
crown

la couronne en papier
paper hat

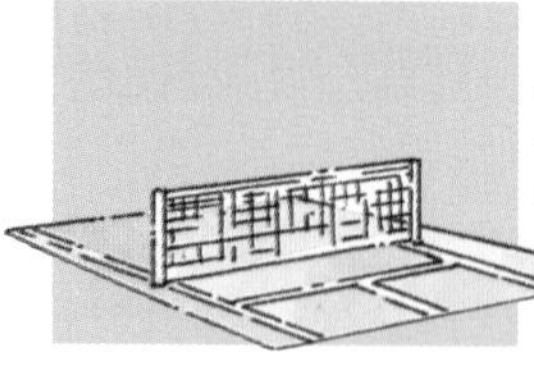

le court de tennis
tennis court

court/courte
short

le couteau
knife

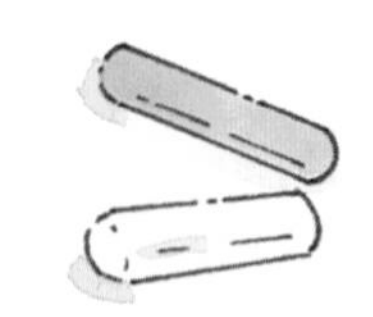

la craie
chalk

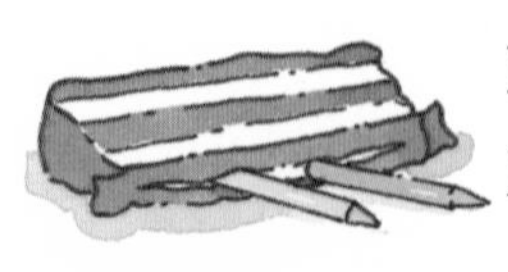

le crayon
pencil

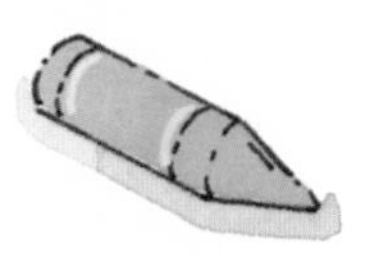

le crayon de couleur
crayon

la crevette
shrimp

le crocus
crocus

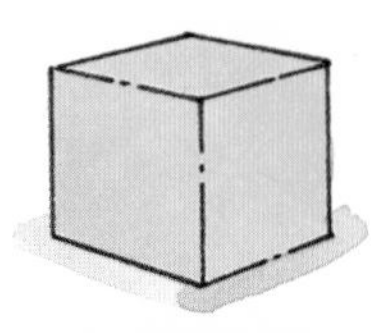

le cube
cube

la cuillère
spoon

la cuisinière
cooker

la culotte
knickers

Dd

le dauphin
dolphin

le dé
dice

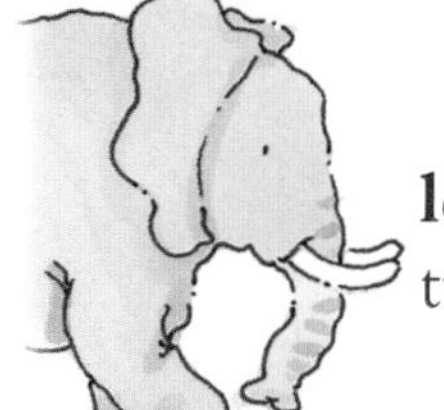

la défense
tusk

le dentifrice
toothpaste

le déplantoir
trowel

le dessin
drawing

le dessus de cheminée
mantlepiece

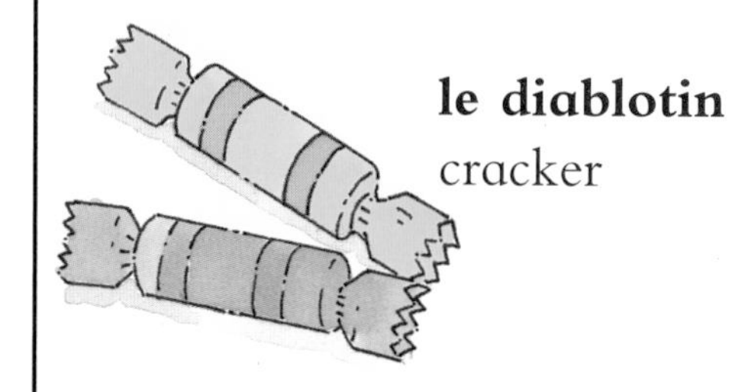

le diablotin
cracker

le diagramme
chart

la douche
shower

les douves (f)
moat

le dragon
dragon

le drap
sheet

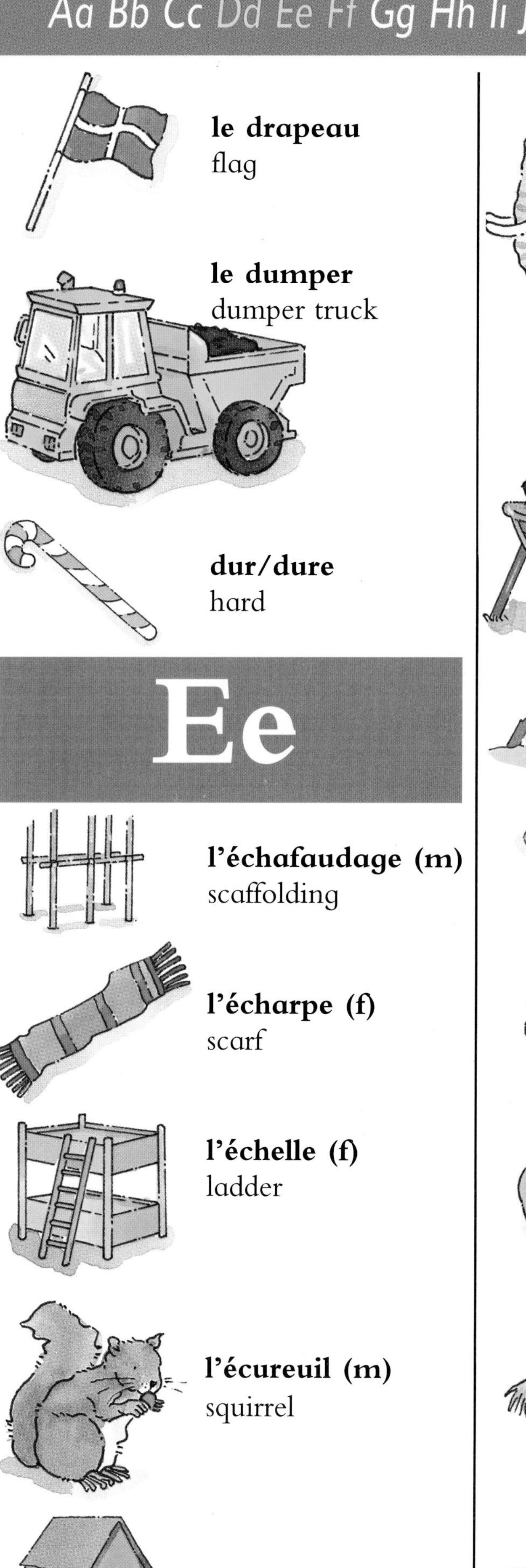

le drapeau
flag

le dumper
dumper truck

dur/dure
hard

Ee

l'échafaudage (m)
scaffolding

l'écharpe (f)
scarf

l'échelle (f)
ladder

l'écureuil (m)
squirrel

l'écurie (f)
stable

l'égouttoir (m)
draining board

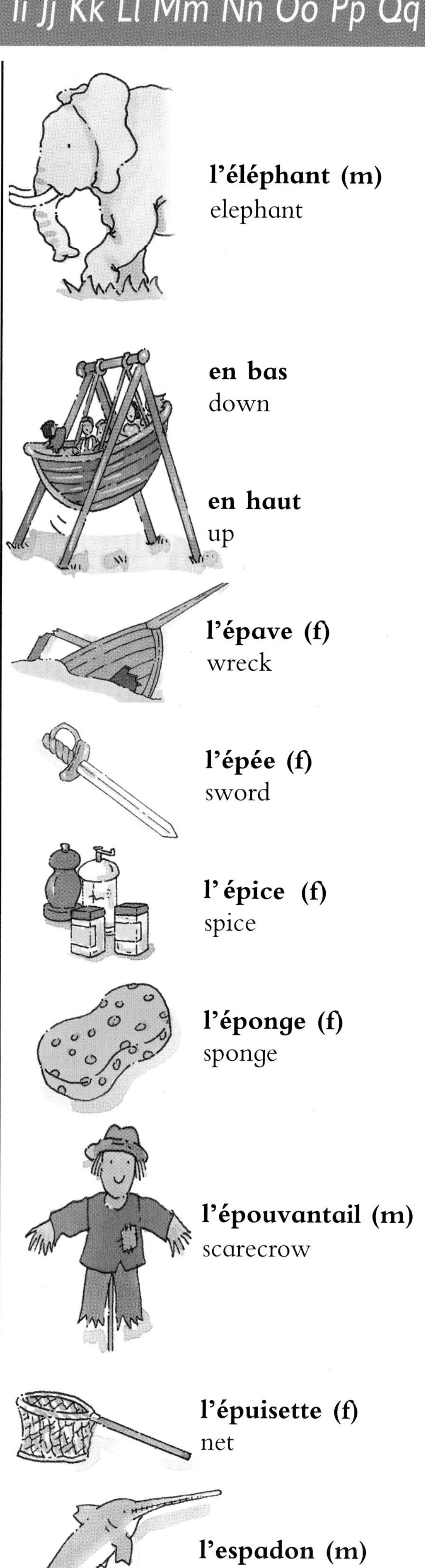

l'éléphant (m)
elephant

en bas
down

en haut
up

l'épave (f)
wreck

l'épée (f)
sword

l' épice (f)
spice

l'éponge (f)
sponge

l'épouvantail (m)
scarecrow

l'épuisette (f)
net

l'espadon (m)
swordfish

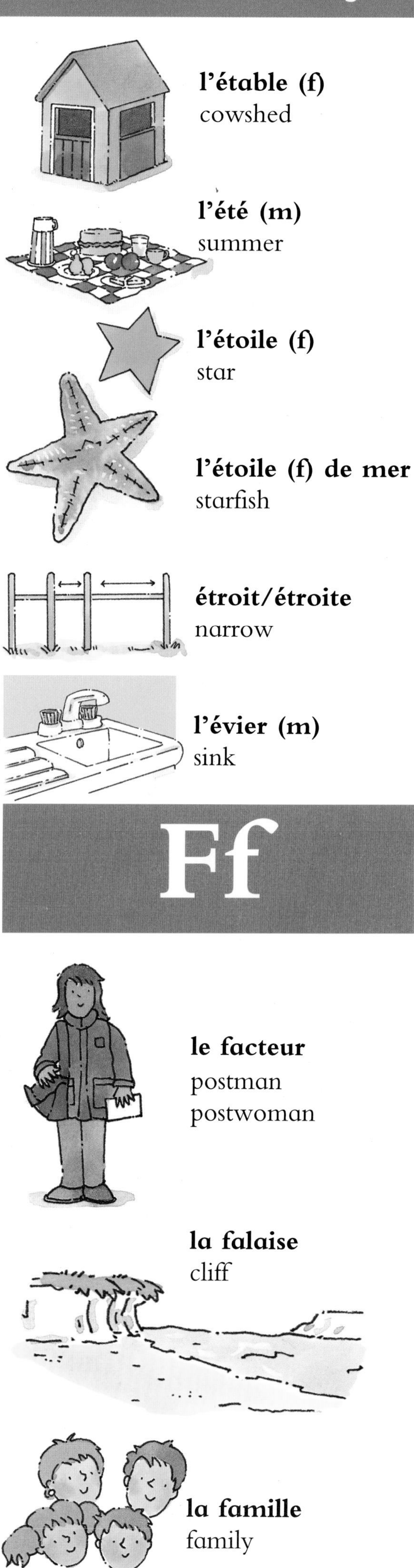

l'étable (f)
cowshed

l'été (m)
summer

l'étoile (f)
star

l'étoile (f) de mer
starfish

étroit/étroite
narrow

l'évier (m)
sink

Ff

le facteur
postman
postwoman

la falaise
cliff

la famille
family

le fantôme
ghost

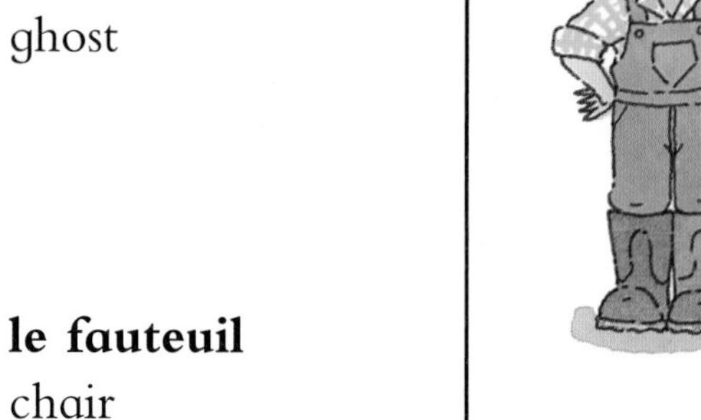

le fauteuil
chair

le fauteuil
armchair

le fauteuil à bascule
rocking chair

le fauteuil roulant
wheelchair

la fée
fairy

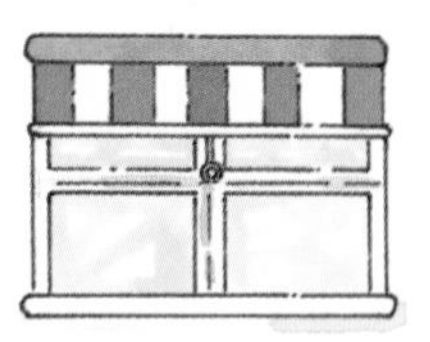

la fenêtre
window

la ferme miniature
toy farm

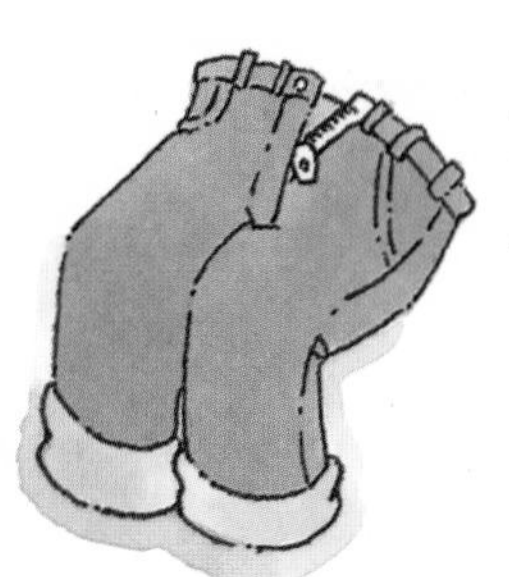

la fermeture Éclair
zip

le fermier
farmer

le ferry
ferry boat

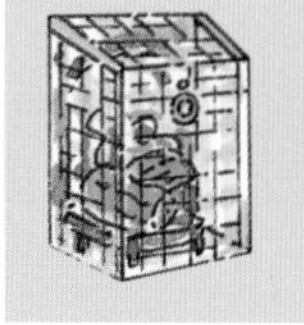

le feu
fire

le feu de bois
bonfire

la feuille
leaf

les feux (m)
traffic lights

le flamant
flamingo

la flèche
arrow

la fleur en papier
paper flower

les fleurs (f)
blossom

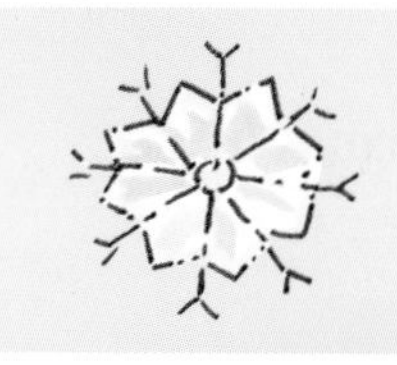

le flocon de neige
snowflake

le foin
hay

le fossé
ditch

le fossile
fossil

le four
oven

la fourche
garden fork

la fourchette
fork

la fourrure
fur

les frites (f)
chips

le fromage
cheese

Gg

le galet
pebble

la gamelle
food bowl

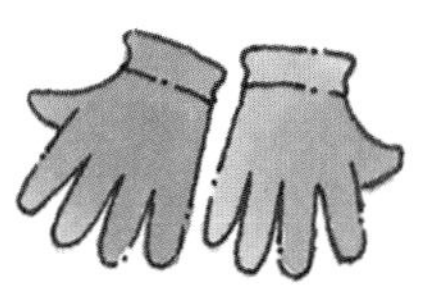

le gant
glove

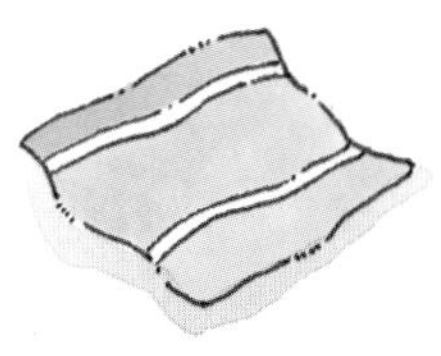

le gant de toilette
flannel

le garage
garage

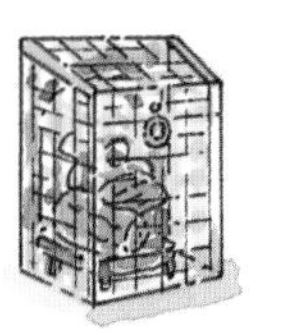

le garde-feu
fireguard

le gardien de parc
park keeper

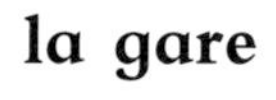

la gare
station

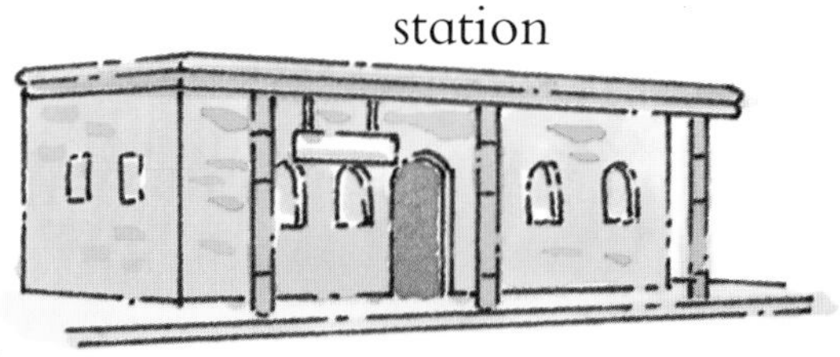

le gâteau
cake

le géant
giant

la gerbille
gerbil

le gilet
cardigan

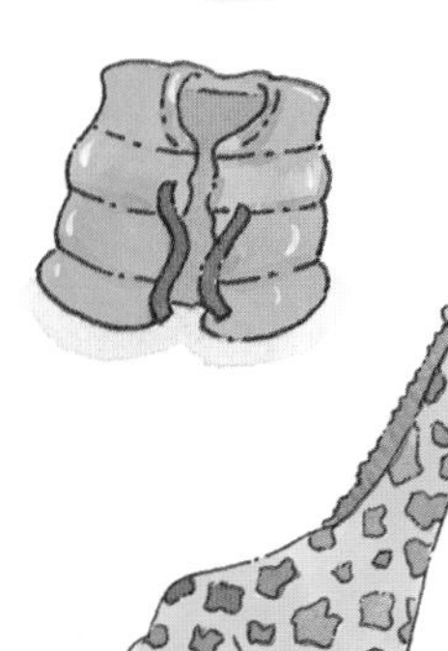

le gilet de sauvetage
lifejacket

la girafe
giraffe

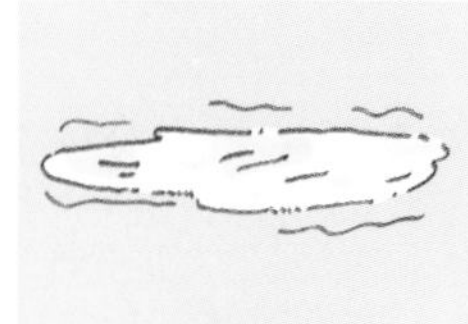

la glace
ice

la glace
ice-cream

le gland
acorn

le gnome
gnome

le gobelet
beaker

le gobelet en carton
paper cup

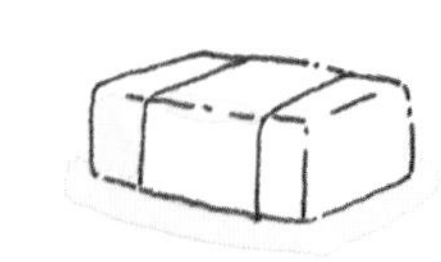

la gomme
rubber

le goudron
tarmac

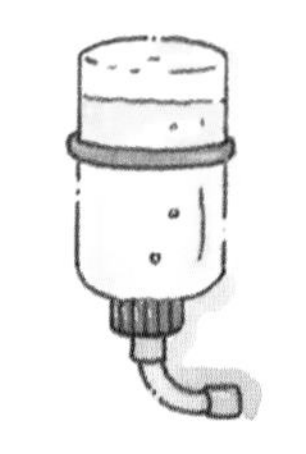

la gourde
water bottle

grand/grande
tall

la grande cape
cloak

la grange
barn

la griffe
claw

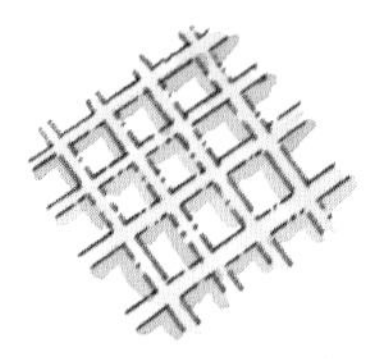

le grillage
wire netting

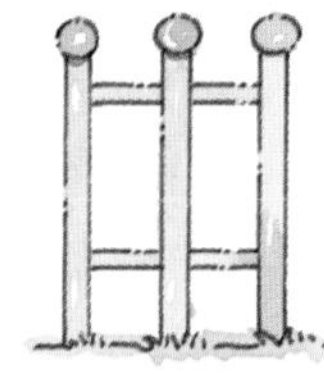

la grille
railing

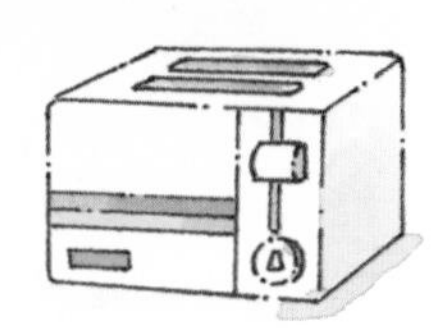

le grille-pain
toaster

gris/grise
grey

gros/grosse
fat

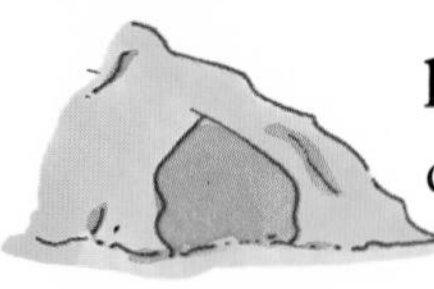

la grotte
cave

la grue
crane

le guépard
cheetah

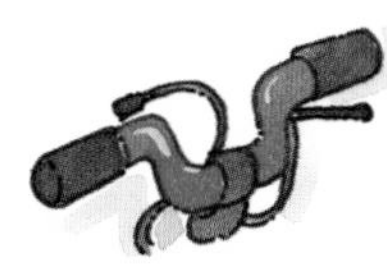

le guidon
handlebars

la guirlande de papier
paper chain

la guirlande électrique
fairy lights

la guitare
guitar

Hh

le hamburger
hamburger

le hamster
hamster

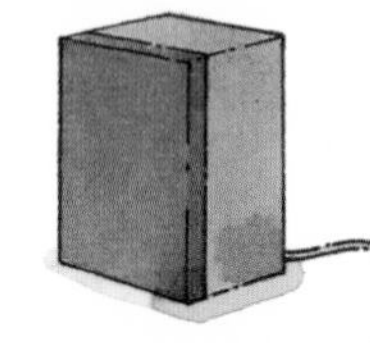

le haut-parleur
loudspeaker

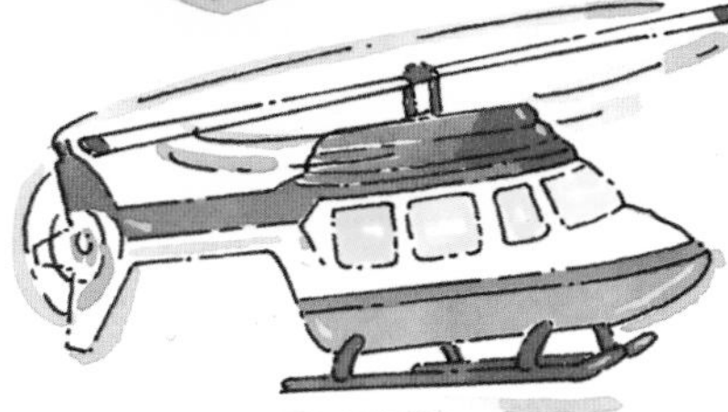

l'hélicoptère (m)
helicopter

le hibou
owl

l'hippocampe (m)
seahorse

l'hippopotame (m)
hippopotamus

l'hiver (m)
winter

le hochet
rattle

le homard
lobster

l'hôpital (m)
hospital

l'horloge (f)
clock

le hot-dog
hot dog

l'hôtel (m)
hotel

l'hôtel (m) de ville
town hall

l'huile (f)
oil

l'huître (f)
oyster

Ii

l'île (f)
island

l'instituteur (m)
l'institutrice (f)
teacher

Jj

le jardin de rocaille
rock garden

le jardin sauvage
wild garden

la jardinière
window box

jaune
yellow

le jean
jeans

la jetée
pier

le jeu de société
board game

la jonquille
daffodil

le journal
newspaper

joyeux/joyeuse
happy

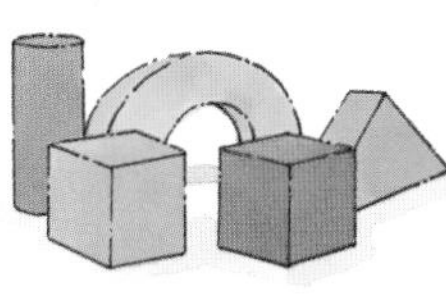
le jeu de construction
building block

la jupe
skirt

le jus
juice

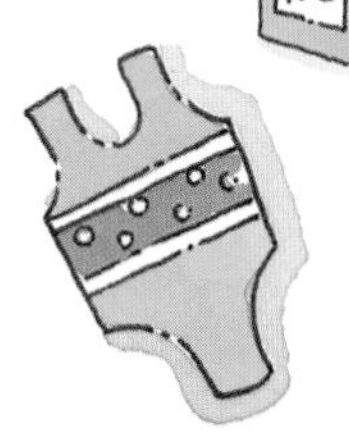
le justaucorps
leotard

Kk

le kangourou
kangaroo

Ll

le lac
lake

le lacet
lace

la laisse
lead

le lait solaire
suntan lotion

le lama
llama

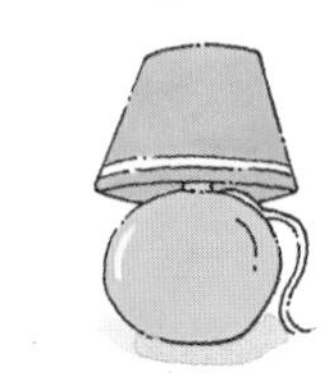
la lampe
lamp

le landau
pram

le lapin
rabbit

large
wide

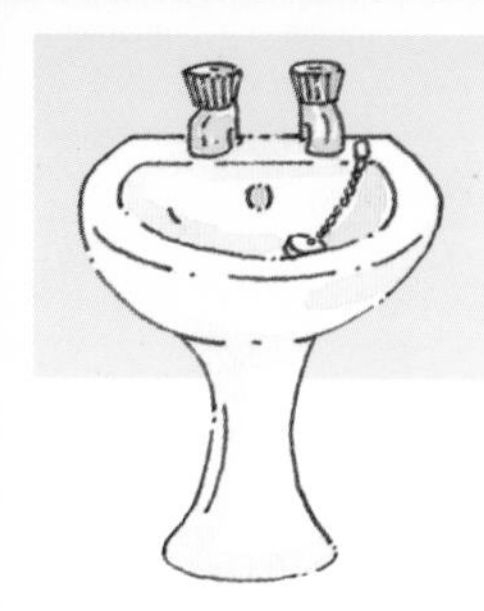

le lavabo
washbasin

le laveur de vitres
window cleaner

le lecteur (m)
la lectrice (f)
reader

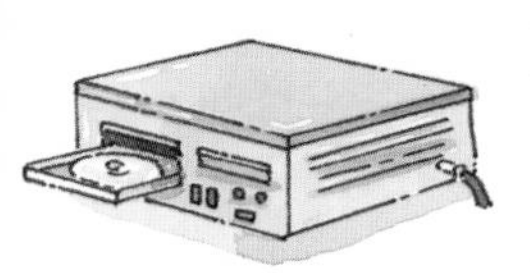

le lecteur laser
compact disc player

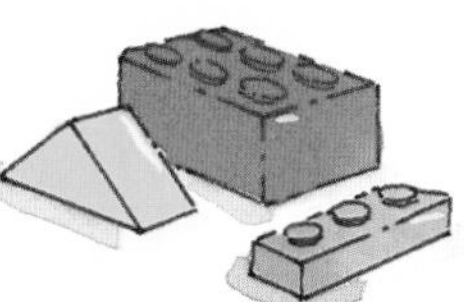

le Légo
Lego

le léopard
leopard

le lézard
lizard

la licorne
unicorn

le lion
lion

le lionceau
lion cub

la lionne
lioness

la litière
bedding

le livre
book

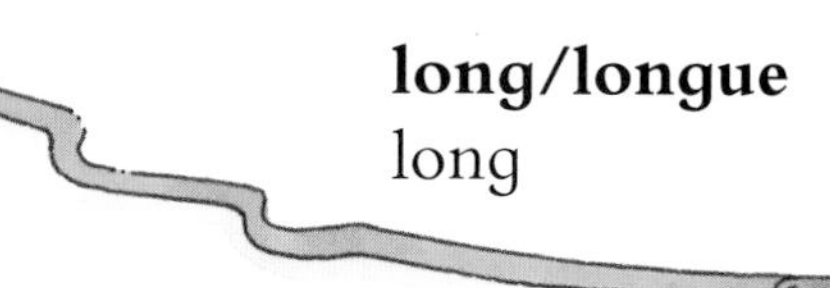

long/longue
long

la luge
sledge

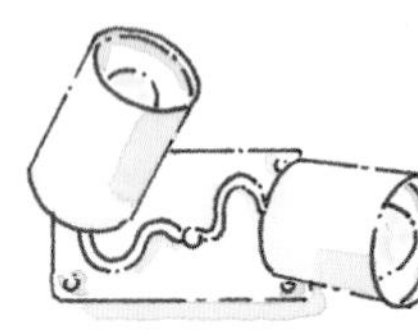

la lumière
light

la lune
moon

la lunette
toilet seat

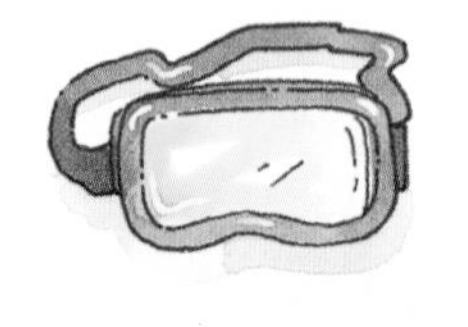

les lunettes (f) de plongée
goggles

les lunettes (f) de soleil
sunglasses

Mm

la machine à laver
washing machine

le maçon
builder

le maçon
bricklayer

le magasin
shop

le magasin de jouets
toy shop

le magazine
magazine

le magicien
magician

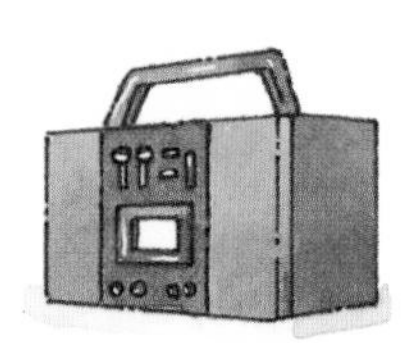

le magnétophone
tape recorder

le magnétoscope
video recorder

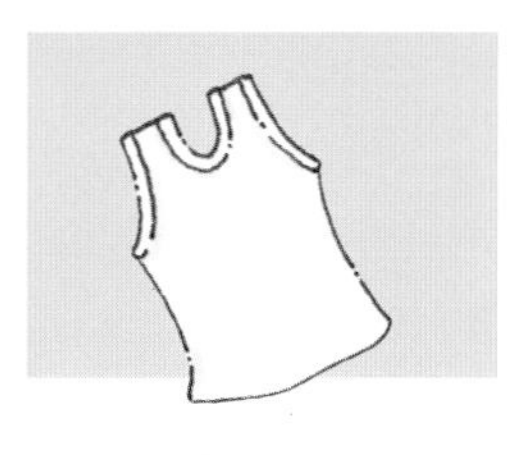

le maillot de corps
vest

la maison
house

la maison de poupée
doll's house

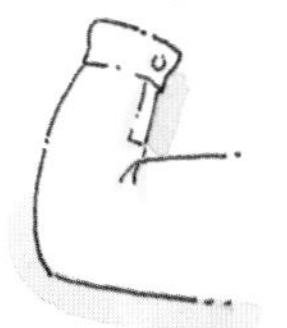

la manche
sleeve

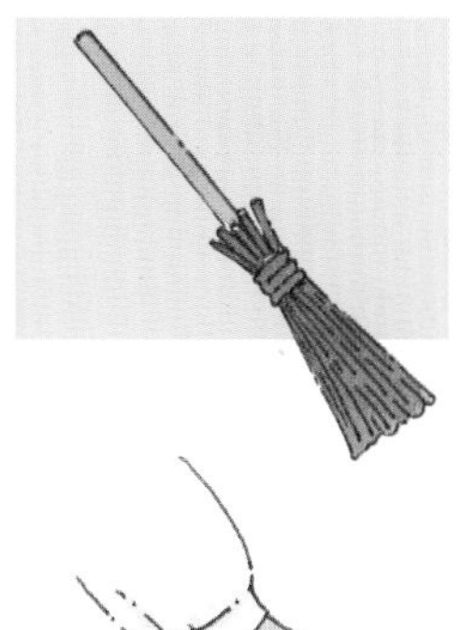

le manche à balai
broomstick

la manchette
cuff

le manège
roundabout

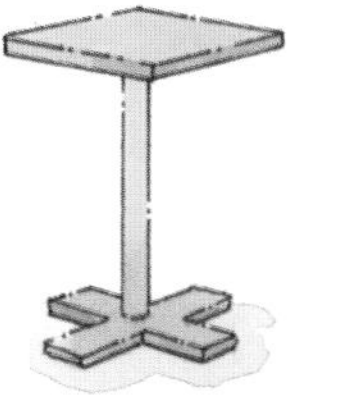

la mangeoire
bird table

le manteau
coat

la maquette
cardboard model

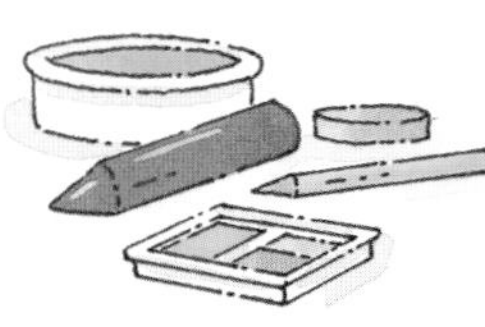

le maquillage
make-up

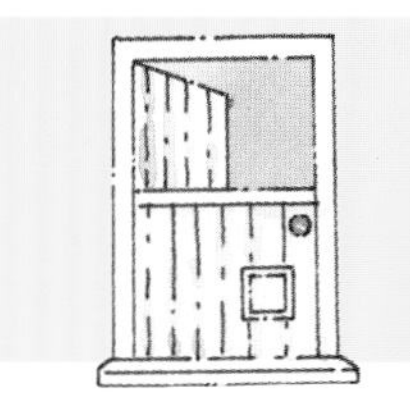

la marche
step

la mare aux canards
duck pond

la margarine
margarine

la marionnette à gaine
glove puppet

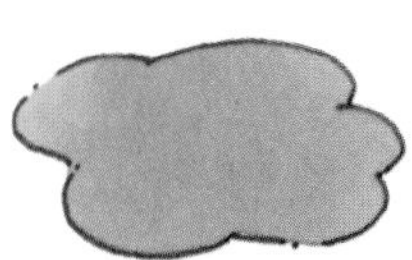

marron
brown

le marteau pneumatique
pneumatic drill

le masque de plongée
face mask

le mât
mast

la mauvaise herbe
weed

la méduse
jellyfish

la mer
sea

le miel
honey

mince
thin

le miroir
mirror

le monstre
monster

la montgolfière
hot air balloon

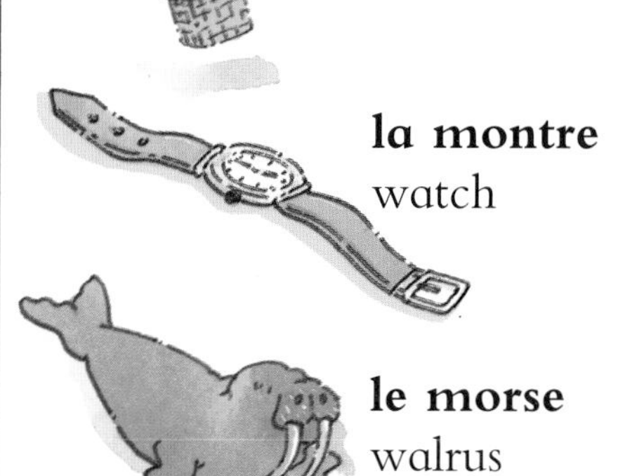

la montre
watch

le morse
walrus

la moto
motorbike

mou/molle
soft

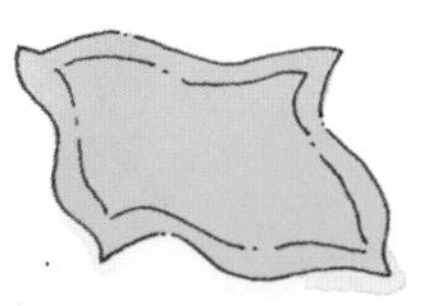

le mouchoir
handkerchief

la mouette
seagull

la moufle
mitten

le mouton
sheep

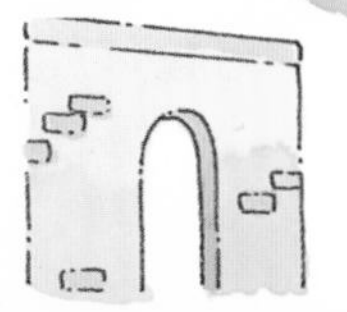

le mur
wall

Nn

la nageoire
fin

la nappe
tablecloth

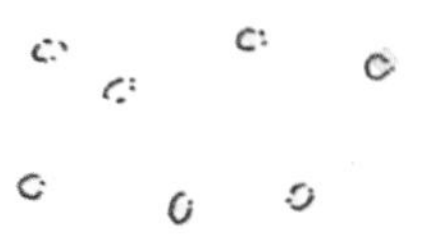

la neige
snow

le nénuphar
waterlily

neuf/neuve
new

le nichoir
nesting box

le nid
nest

le nœud
bow

noir/noire
black

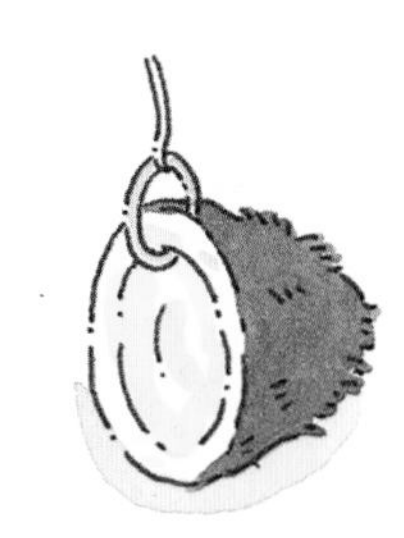

la noix de coco
coconut

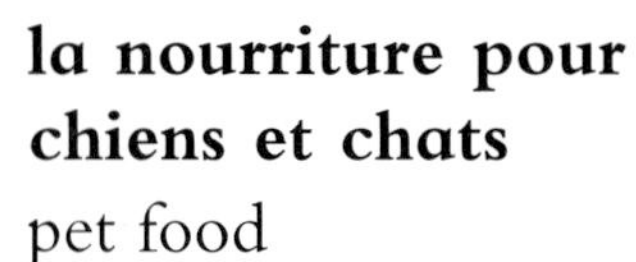

la nourriture pour chiens et chats
pet food

Oo

l'œuf (m)
egg

l'oie (f)
goose

l'oignon (m)
onion

l'oiseau (m)
bird

les oiseaux (m) du jardin
garden birds

l'oison (m)
gosling

orange
orange

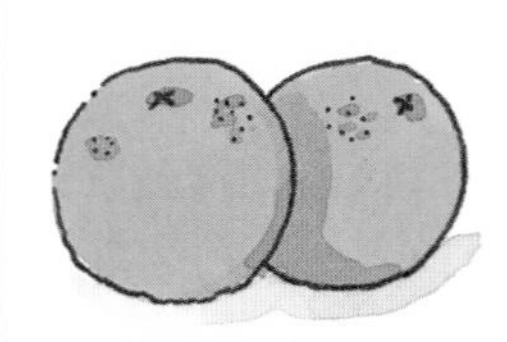

l'orange (f)
orange

l'ordinateur (m)
computer

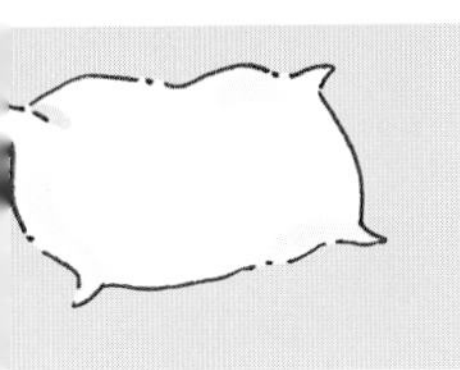

l'oreiller (m)
pillow

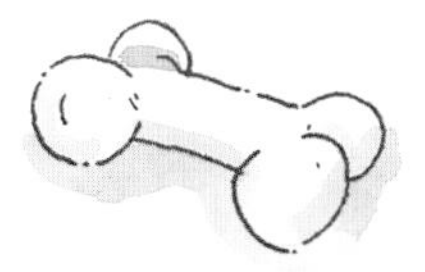

l'os (m)
bone

Pp

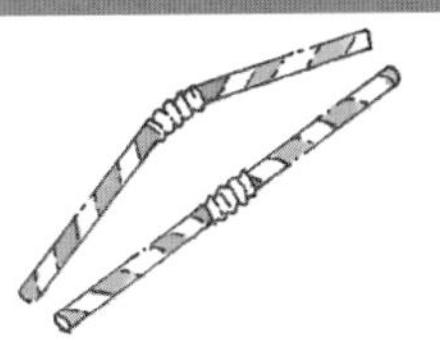

la paille
straw

le pain
bread

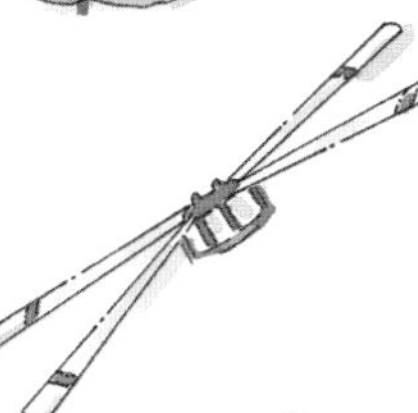

la pale du rotor
rotor blade

la palme
flipper

la palourde
clam

le panache
plume

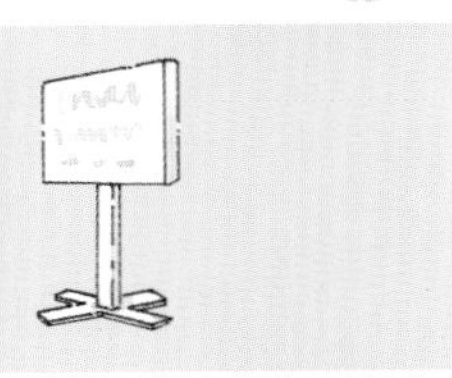

la pancarte
notice

le panier à linge
laundry basket

le panier de pique-nique
picnic basket

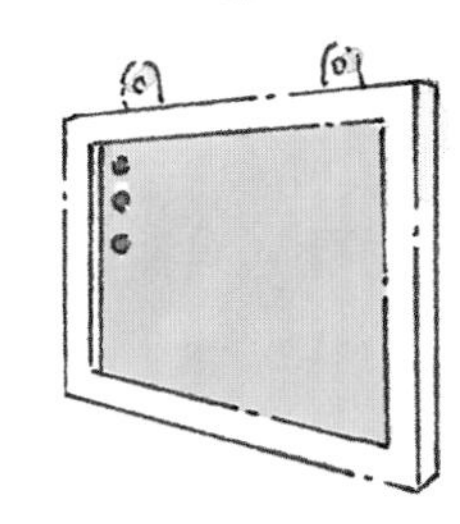

le panneau d'affichage
pinboard

la pantoufle
slipper

le papier hygiénique
toilet paper

le parachute
parachute

le parasol
umbrella

le pare-brise
windscreen

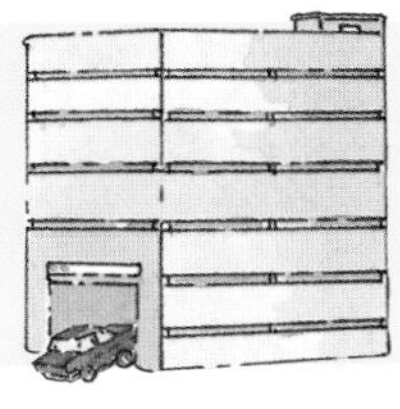

le parking
car park

le passage pour piétons
crossing

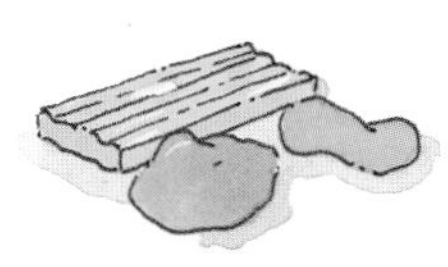

la pâte à modeler
Plasticine

les patins (m) à roulettes
roller skates

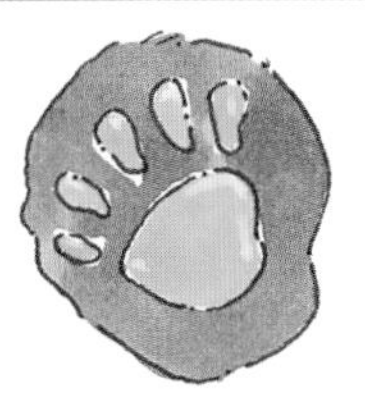

la patte
paw

le pêcheur
angler

la pédale
pedal

la peinture
painting

la peinture
paint

le pélican
pelican

la pelle
spade

la pelleteuse
digger

la pelouse
lawn

la péniche
canal boat

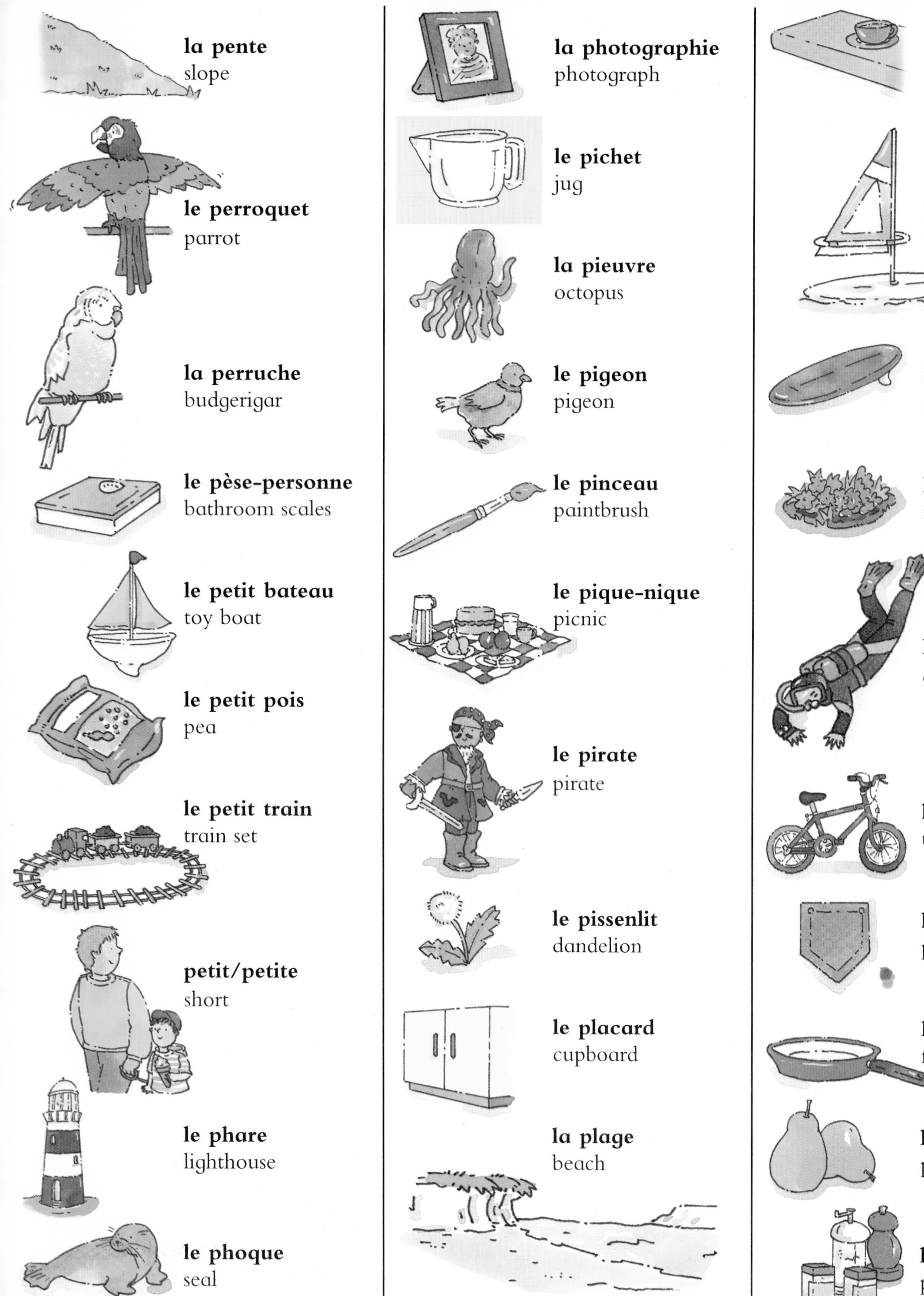

la pente
slope

le perroquet
parrot

la perruche
budgerigar

le pèse-personne
bathroom scales

le petit bateau
toy boat

le petit pois
pea

le petit train
train set

petit/petite
short

le phare
lighthouse

le phoque
seal

la photographie
photograph

le pichet
jug

la pieuvre
octopus

le pigeon
pigeon

le pinceau
paintbrush

le pique-nique
picnic

le pirate
pirate

le pissenlit
dandelion

le placard
cupboard

la plage
beach

le plan de travail
worktop

la planche à voile
windsurfer

la planche de surf
surfboard

la plate-bande
flower bed

le plongeur
diver

le pneu
tyre

la poche
pocket

la poêle
frying pan

la poire
pear

le poivre
pepper

la pomme
apple

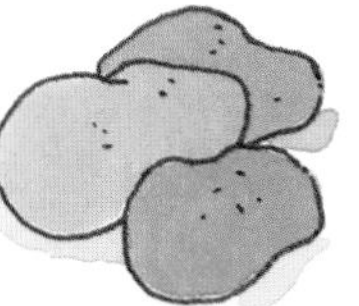

la pomme de terre
potato

la pompe à essence
petrol pump

le pont
bridge

le porcelet
piglet

la porcherie
pig sty

la porte de derrière
back door

le porte-manteau
peg

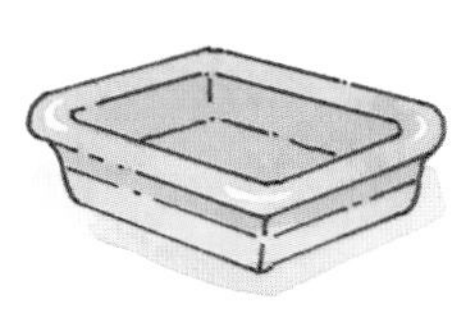

le porte-savon
soap dish

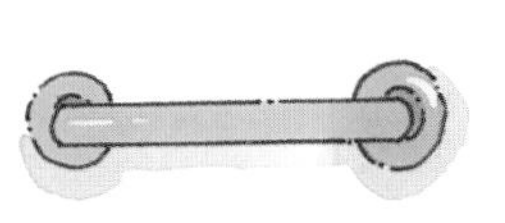

le porte-serviette
towel rail

le pot de fleurs
flowerpot

le poteau télégraphique
telegraph pole

la poubelle
rubbish bin

le poulailler
hen house

le poulain
foal

la poule
hen

la poussette
pushchair

le poussin
chick

la primevère
primrose

le prince
prince

la princesse
princess

le printemps
spring

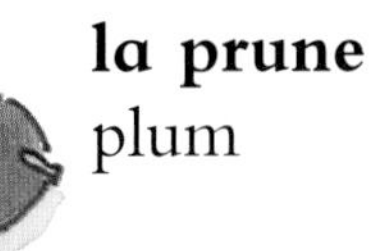

la prune
plum

le pull
jumper

la punaise
drawing pin

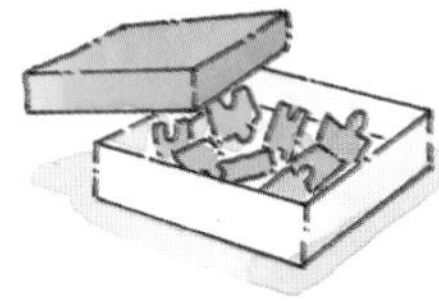

le puzzle
jigsaw puzzle

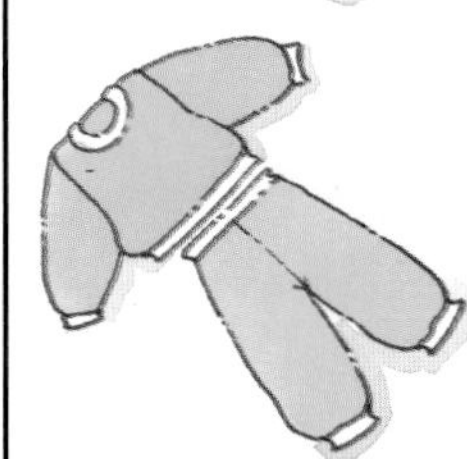

le pyjama
pyjamas

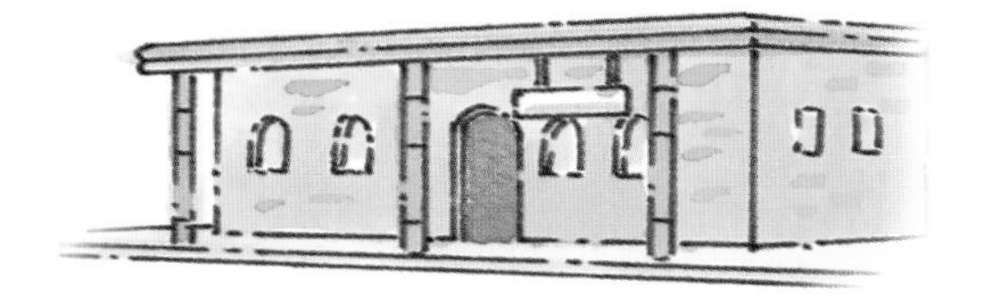

le quai
platform

la queue
tail

Rr

le radiateur
radiator

la radio
radio

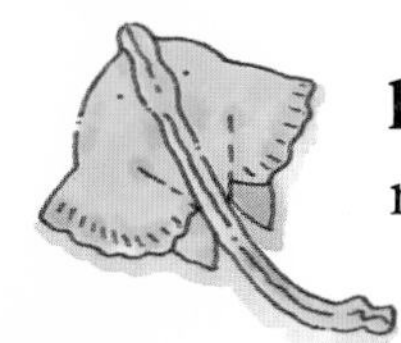

la raie
ray fish

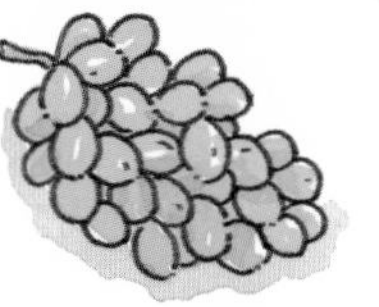

le raisin
grape

la rame
oar

le râteau
rake

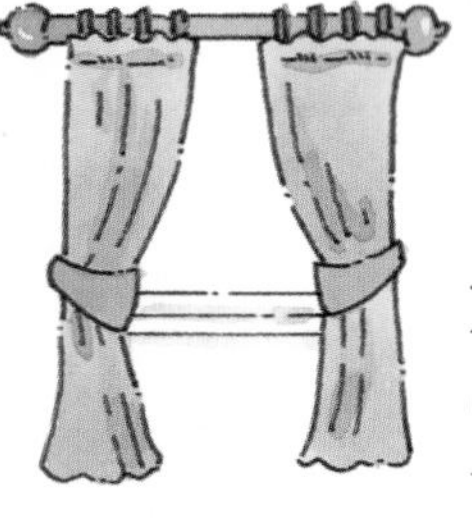

le rebord de fenêtre
windowsill

le rectangle
rectangle

le réfrigérateur
fridge

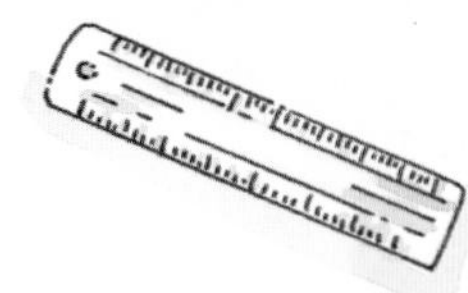

la règle
ruler

la reine
queen

la remorque
trailer

le requin
shark

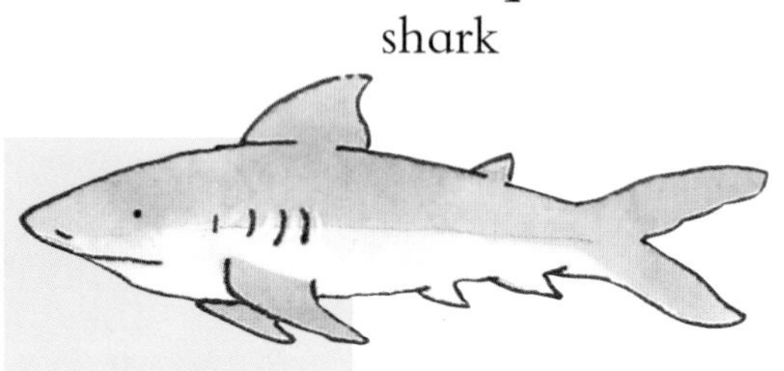

le réverbère
lamp post

le rhinocéros
rhinoceros

le rideau
curtain

le rideau de douche
shower curtain

la rive
river bank

la rivière
river

le riz
rice

la robe
dress

la robe de chambre
dressing gown

la robe de fête
party dress

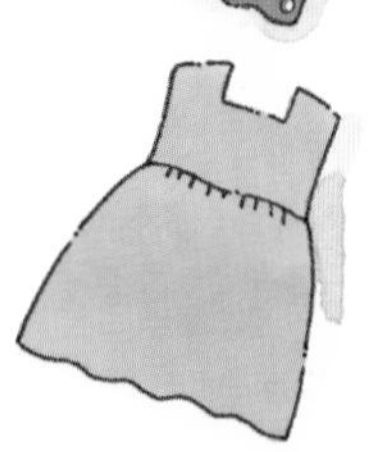

la robe-chasuble
pinafore dress

le robinet
tap

le roi
king

la rose
rose

rose
pink

le roseau
reed

la roue
wheel

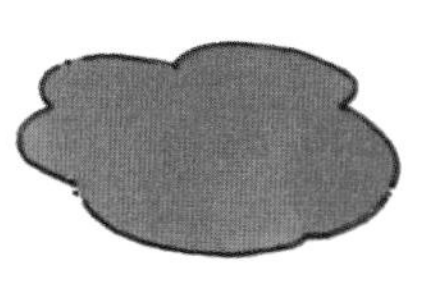
rouge
red

le rouleau
steamroller

le ruban
ribbon

Ss

le sable
sand

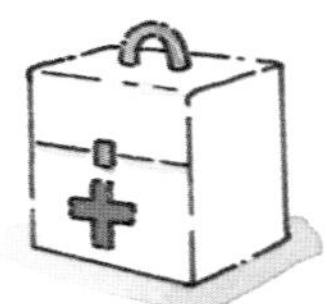
la sacoche de médecin
doctor's bag

le saladier
bowl

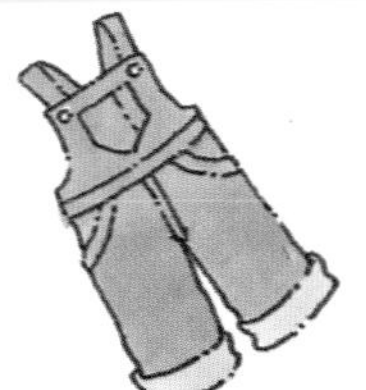
la salopette
dungarees

la sandale
sandal

le savon
soap

le scaphandre autonome
aqualung

le seau
bucket

le sel
salt

la selle
saddle

la semi-remorque
articulated lorry

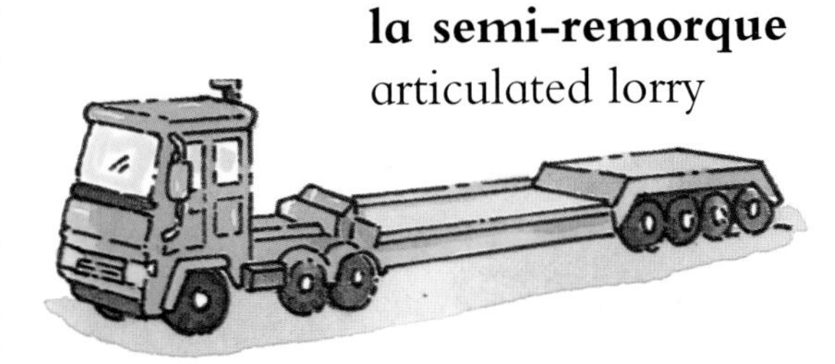

le serpent
snake

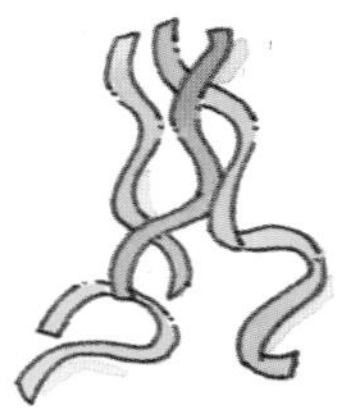
le serpentin
streamer

la serviette de bain
bath towel

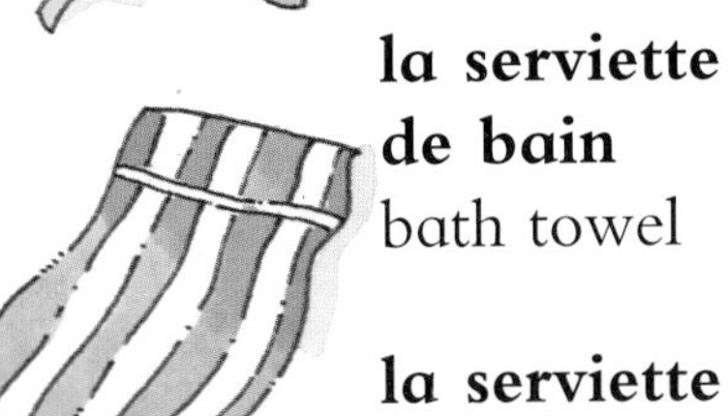

la serviette de plage
beach towel

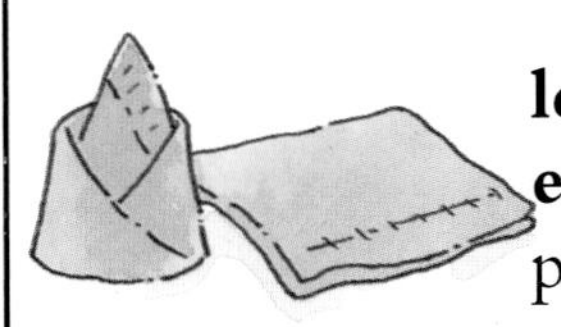
la serviette en papier
paper napkin

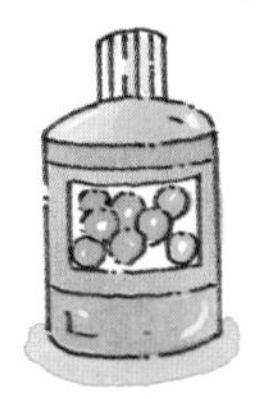
le shampooing
shampoo

le sifflet en papier
party squeaker

le singe
monkey

le sirop
squash

le skate-board
skateboard

le slip
pants

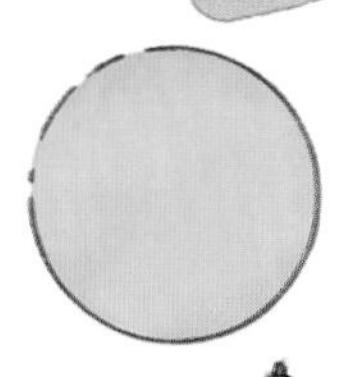
le soleil
sun

le sommet
top

le sorcier
wizard

la sorcière
witch

la souche d'arbre
tree stump

la soupe
soup

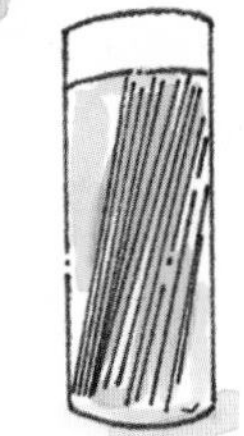
les spaghettis (m)
spaghetti

les spectateurs (m)
audience

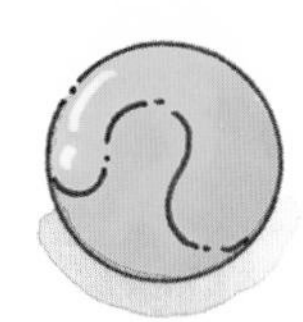
la sphère
sphere

la station-service
petrol station

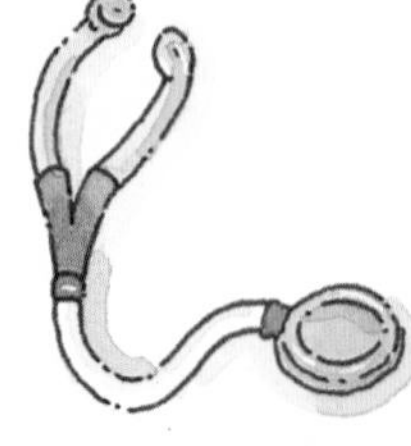
le stéthoscope
stethoscope

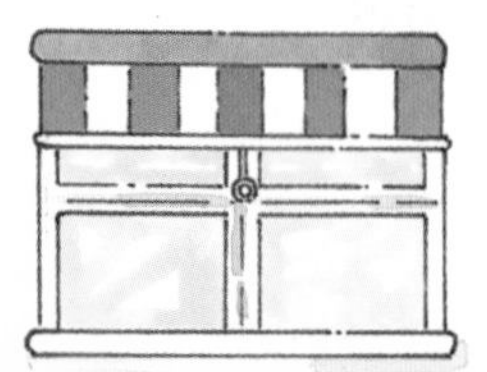
le store
blind

le sucre
sugar

le supermarché
supermarket

le support visuel
flashcard

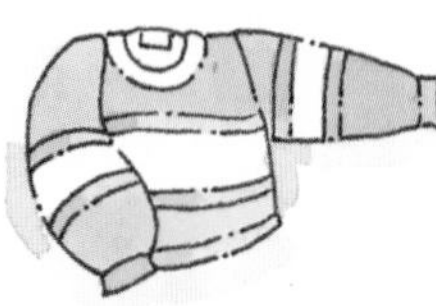
le sweat-shirt
sweatshirt

le T-shirt
T-shirt

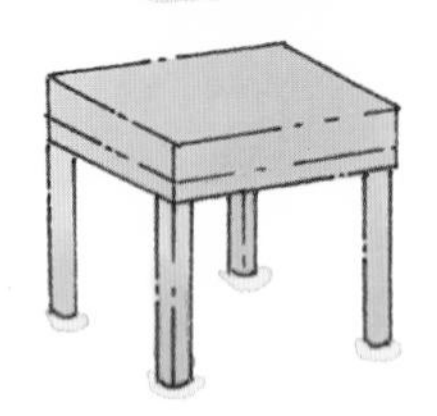
la table
table

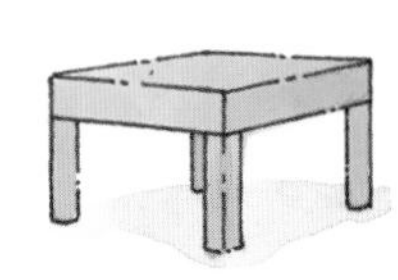
la table basse
coffee table

le tableau noir
chalkboard

le tabouret
stool

le tambour
drum

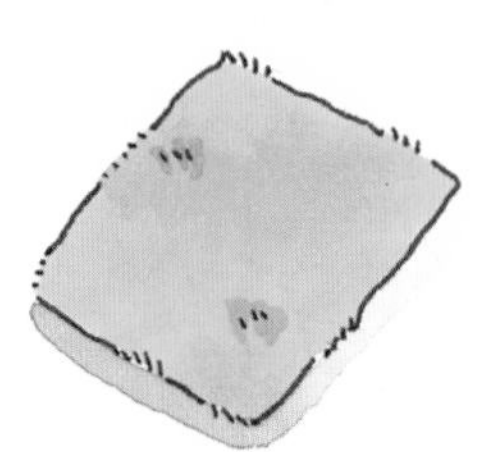
le tapis
carpet

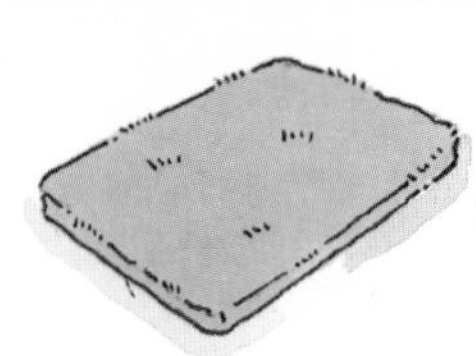
le tapis de b
bath mat

la tasse
cup

le taureau
bull

le taxi
taxi

la télécommande
remote control

le téléphone
telephone

la télévision
television

les tennis (f)
trainers

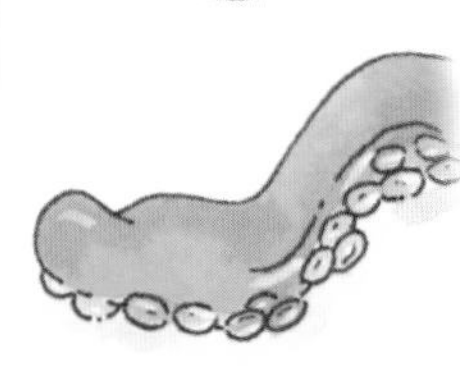
la tentacule
tentacle

la tente
tent

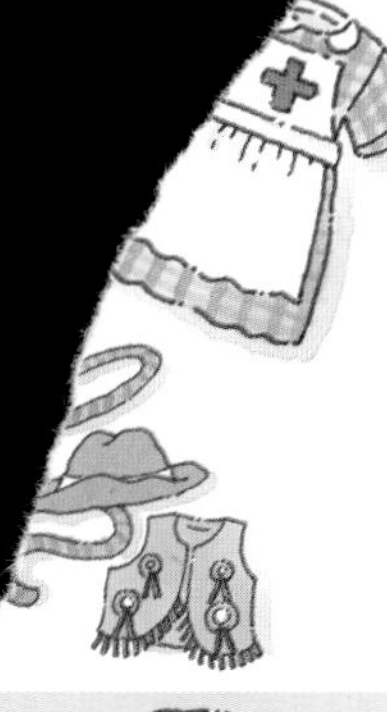

la tenue d'infirmière
nurse's outfit

la tenue de cow-boy
cowboy outfit

la tenue de médecin
doctor's outfit

le Thermos
Thermos flask

le tigre
tiger

le tiroir
drawer

le toboggan
slide

les toilettes (f)
toilet

le toit
roof

la tomate
tomato

la tondeuse
lawnmower

la torche
torch

la tortue
tortoise

la tortue marine
turtle

la tour
tower block

le tourne-disque
record player

le tracteur
tractor

le train
train

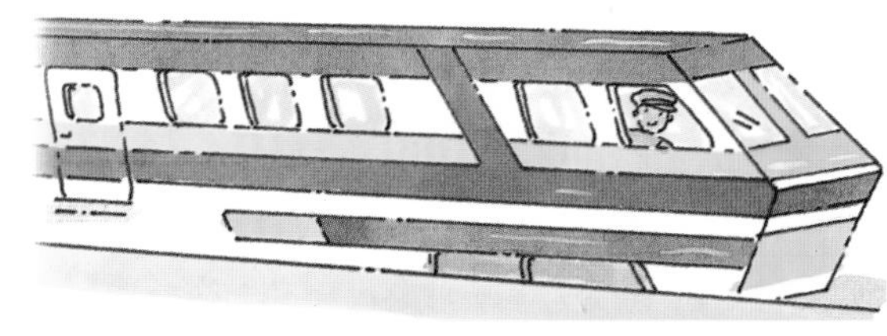

le trésor
treasure

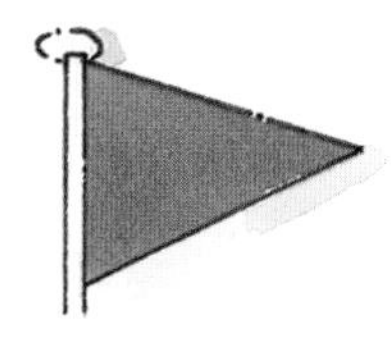

le triangle
triangle

le tricycle
tricycle

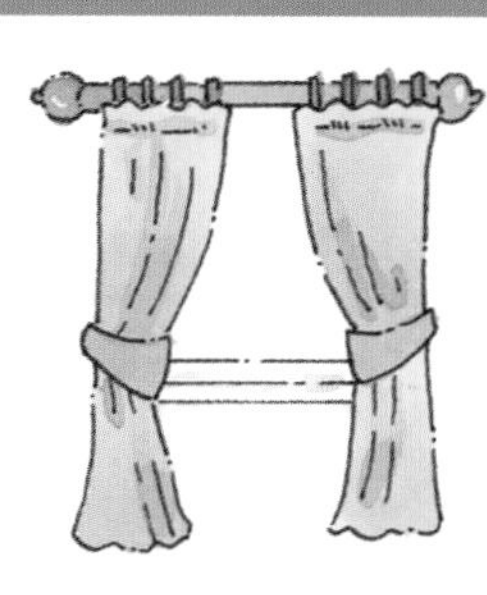

la tringle à rideau
curtain pole

triste
sad

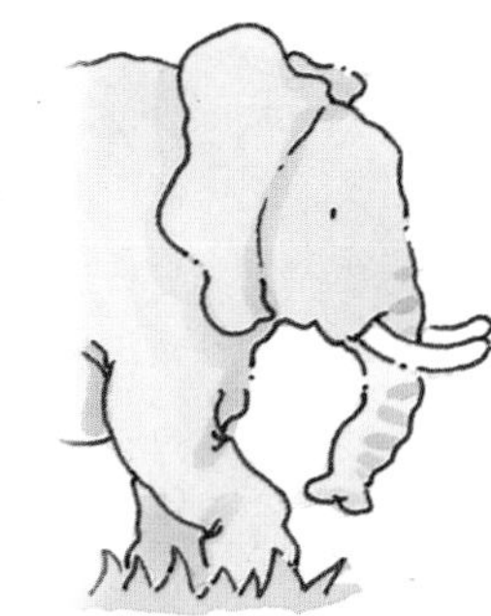

la trompe
trunk

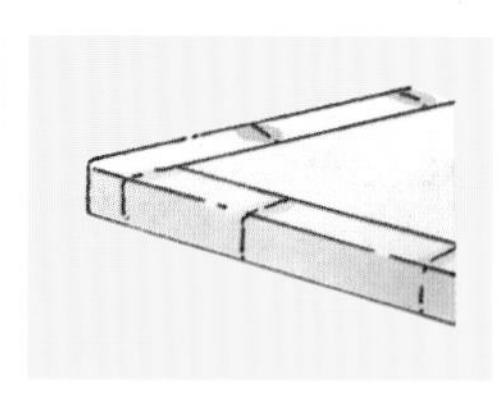

le trottoir
pavement

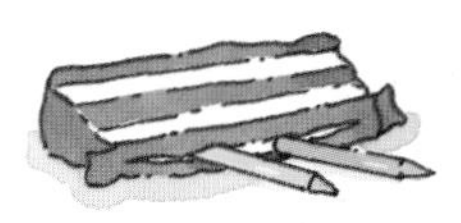

la trousse
pencil case

le tuba
snorkel

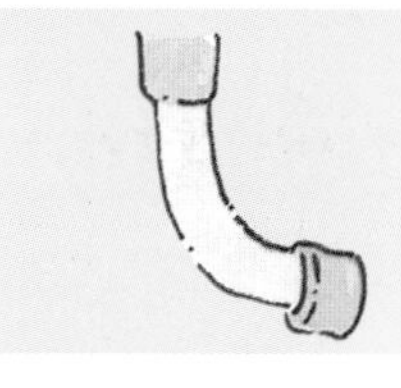

le tube
tube

le tunnel
tunnel

le tuyau d'arrosage
hose

Vv

la vache
cow

la vague
wave

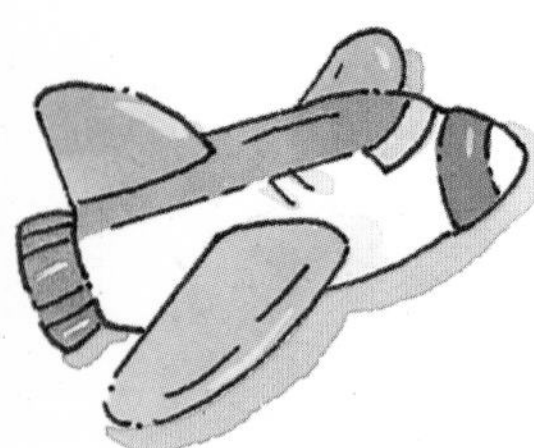

le vaisseau spatial
spacecraft

le vase
vase

le veau
calf

le vélo
bicycle

la ventouse
sucker

le verger
orchard

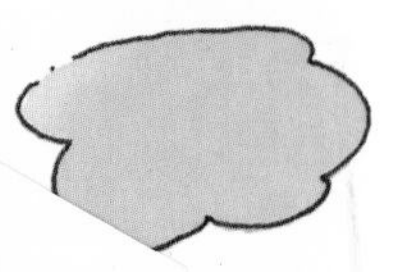

vert/verte
green

les vêtements (m) de poupée
doll's clothes

la viande hachée
mince

vieux/vieille
old

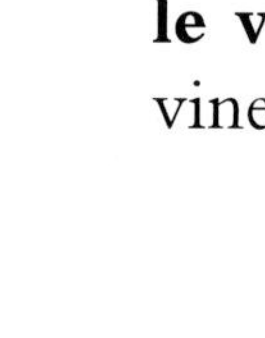

le vinaigre
vinegar

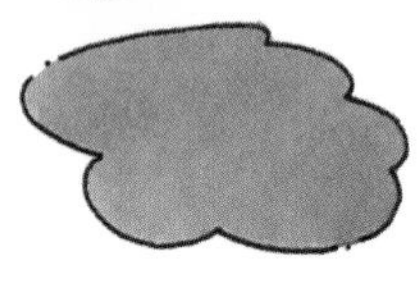

violet/violette
purple

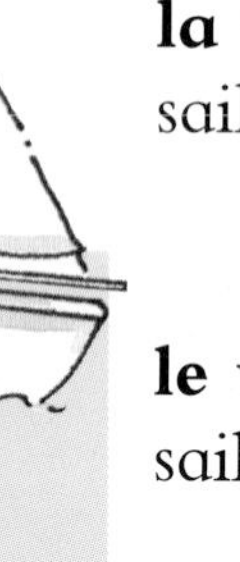

la voile
sail

le voilier
sailing boat

la voiture
car

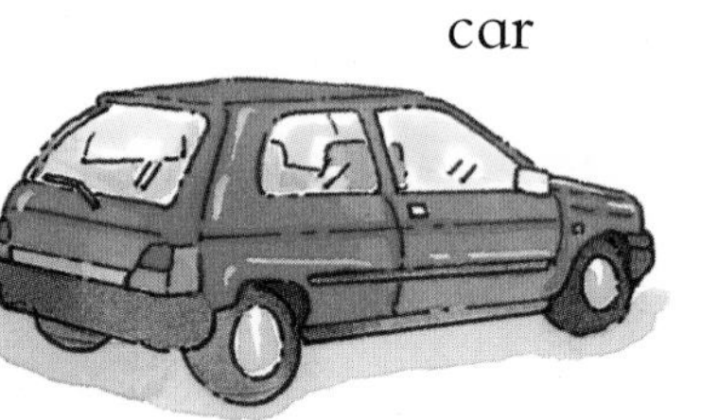

la voiture de pompiers
fire engine

le volant
steering wheel

Ww

le wagon
carriage

Xx

le xylophone
xylophone

Yy

le yacht
yacht

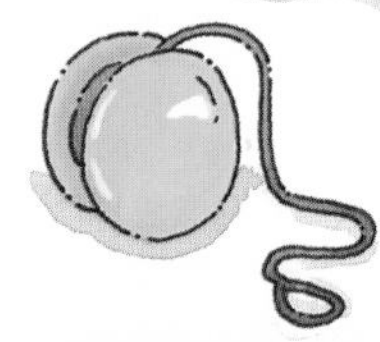

le yo-yo
yo-yo

Zz

le zèbre
zebra